LUS☉FONIA

CURSO BÁSICO DE PORTUGUÊS LÍNGUA ESTRANGEIRA

AUTORES

António Avelar
Helena Bárbara Marques Dias
Maria José Grosso
Maria José Meira

DIRECÇÃO

João Malaca Casteleiro

edições técnicas

LISBOA — PORTO — COIMBRA

Componentes do curso

LUSOFONIA — CURSO BÁSICO DE PORTUGUÊS-LÍNGUA ESTRANGEIRA

- 📖 LIVRO DO ALUNO
- ✎ CADERNO DE EXERCÍCIOS
- 🎓 LIVRO DO PROFESSOR
- 📼 CONJUNTO CASSETES

LUSOFONIA — CURSO AVANÇADO DE PORTUGUÊS-LÍNGUA ESTRANGEIRA

- 📖 LIVRO DO ALUNO
- ✎ CADERNO DE EXERCÍCIOS (em preparação)
- 🎓 LIVRO DO PROFESSOR (em preparação)
- 📼 CONJUNTO DE CASSETES (em preparação)

DISTRIBUIÇÃO

 edições técnicas, lda.

LIVRARIAS: LISBOA: Avenida Praia da Vitória, 14
Telef. 541418 — Fax 577827
PORTO: Rua Damião de Góis, 452
Telef. 597995 — Fax 02-5501119
COIMBRA: Avenida Emídio Navarro, 11-2.º
Telef. 22486 — Fax 039-27221

Copyright © 1995
LIDEL — Edições Técnicas Limitada

Ilustração
Paulo Sérgio Leal
Pedro Tiago Calado
João Carlos Reis

Capa
Sara Levy Lima sobre ilustração de Miguel Levy Lima

Impressão e acabamento: Tipografia Lousanense, Lda.

ISBN 972-9018-30-8

LIDEL — Edições Técnicas, Lda.
Rua D. Estefânia, 183, r/c — 1000 Lisboa
Telefs. 3534437 - 575995 - 3554898 — Telefax 577827

NOTA INTRODUTÓRIA

Lusofonia: Curso Básico de Português — língua estrangeira agora retomado pela LIDEL, aparece corrigido e actualizado relativamente à 1.ª edição.

É um conjunto de materiais, constituído por Livro do Aluno, Caderno de Exercícios, Livro do Professor e Cassetes, para o ensino e aprendizagem do Português como língua estrangeira.

Dirige-se essencialmente a um público adulto heterogéneo, que inicia uma aprendizagem da língua portuguesa e que visa adquirir competência linguística e comunicativa para se expressar de forma eficaz nos usos correntes da língua, tanto oralmente como por escrito.

Na elaboração de **Lusofonia** foi tido em consideração o **Nível Limiar do Português**, de João Malaca Casteleiro, Américo Meira e José Pascoal, publicado pelo Conselho da Europa, em 1988, no âmbito do Projecto de Línguas Vivas do Conselho de Cooperação Cultural, e reeditado pelo Instituto de Língua e Cultura Portuguesa (ICALP), do Ministério da Educação, em 1988.

Tal como sucedeu com o **Nível Limiar do Português**, também **Lusofonia** se insere nas actividades de investigação e ensino do Departamento de Língua e Cultura Portuguesa da Faculdade de Letras da Universidade de Lisboa.

Lusofonia está organizado em 20 Blocos, divididos em 4 conjuntos de 5 Blocos cada. O último bloco de cada conjunto apresenta-se como uma unidade de consolidação da matéria anterior.

Cada Bloco, excepto os de consolidação, é constituído por três partes distintas que se articulam entre si:

1. Textos (em diálogo e/ou narrativos) construídos com o objectivo claro de simultaneamente apresentar situações evidentes de comunicação e delimitar aspectos linguísticos que deverão ser alvo de atenção por parte do professor consoante o perfil do indivíduo, ou do grupo, em situação de aprendizagem.

2. Sistematização de actos comunicativos, privilegiados essencialmente nos diálogos, classificados por actos de fala, e breve referência a alguns aspectos linguísticos que devem ser trabalhados dentro de uma programação estruturada.

3. Algum material socio-cultural, visando não só o alargamento do vocabulário relativo ao tema tratado no bloco, mas também a re-utilização em novos contextos e situações das estruturas comunicativas e dos temas desenvolvidos.

Esta organização interna dos blocos procura dar flexibilidade ao papel do professor permitindo-lhe seleccionar e/ou sequenciar os textos, as sistematizações e o material socio-cultural, da forma mais adequada à realidade da aula.

Os blocos de consolidação (Bl. 5, 10, 15 e 20) já referidos afastam-se contudo, desta organização. Eles foram concebidos com um duplo objectivo:

1. Permitir a revisão, noutros contextos e situações, da matéria já trabalhada e sistematizada;
2. Permitir a introdução de aspectos da cultura portuguesa, que se encontram neles disseminados.

Tentou-se, de uma forma equilibrada, conciliar as necessidades comunicativas básicas, para um público adulto, com uma progressão integrada em diversos graus de funcionalidade, sobretudo nos primeiro e segundo conjuntos, como se poderá facilmente depreender pela sequência destes.

Abrangem as seguintes áreas temáticas:

Conjunto A: Vida em Sociedade
Conjunto B: Momentos de Todos os Dias
Conjunto C: Vida Sã em Corpo São
Conjunto D: Ideias e Projectos

Deve salientar-se que, da perspectiva comunicativa, que privilegia o texto oral, e que é apresentada de forma evidente nos primeiros conjuntos (Bl. 1-10), se tentou chegar a uma progressão mais marcada pela estrutura linguística na qual a complexidade da Língua se torna cada vez mais explícita (Bl. 11-20), pondo ênfase especial no texto escrito e nas relações lógicas dentro do discurso. Daqui resultou a tendência cada vez mais acentuada para uma inversão do peso dado inicialmente ao acto comunicativo em favor do funcionamento da língua que lhe está subjacente.

Os critérios utilizados na elaboração de **Português Fundamental** (Vol. I, Tomo 1 - **Vocabulário**), publicação do Centro de Linguística da Universidade de Lisboa, Lisboa, 1984, serviram de base para a apresentação geral do vocabulário incluído no Livro do Aluno.

Os textos, que se procurou fossem tão autênticos quanto possível, são da autoria de Helena Bárbara Marques Dias; a sistematização e o apêndice gramatical pertencem essencialmente a Maria José Grosso; a selecção do material social, a Maria José Meira; e o caderno de exercícios, a António Avelar.

João Malaca Casteleiro

AGRADECEMOS

à Rádio Televisão Portuguesa através do Departamento de arquivos audio-visuais, a disponibilidade demonstrada desde o primeiro momento facultando-nos muitos dos diapositivos que ilustram este livro;

à Câmara Municipal de Lisboa, através da sua secção de Turismo, o acolhimento que nos foi dispensado facilitando-nos a selecção dos diapositivos sobre a cidade de Lisboa;

às Comissões Regionais de Turismo da Costa Verde e do Algarve, que tão prontamente responderam às nossas solicitações;

à Dr.ª Graciete Santos pelos seus desenhos;

à Editorial Verbo e a todas as Revistas e Jornais que autorizaram a publicação integral e parcial dos textos incluídos no material social, e que são as revistas: *Dirigir, Proteste, Elle (Portuguesa), Marie Claire (Portuguesa), Mulheres* e *Sábado;* e os jornais: *Viva Voz, Independente, A Capital, Correio da Manhã, Diário Popular, Sete* e *A Bola.*

ÍNDICE

Lisboa
é a capital
de Portugal

Funchal é
uma cidade florida

Alenquer é
uma vila muito bonita

Castelo de Vide
é uma vila de influência árabe

Coimbra é uma cidade universitária

**O Porto
é uma
grande
cidade**

**Nazaré e Sesimbra são vilas
de pescadores**

**Angra do Heroísmo pertence
ao património mundial**

**Alte é
uma aldeira algarvia**

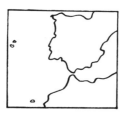

PORTUGAL

área total:	92 131 km2
população total (1991)	9 853 022
capital:	Lisboa
moeda:	Escudo
fronteiras:	
N e W — Espanha	
E e S — Oceano Atlântico	

Portugal Continental

área:	89 000 km2
população(*):	9 363 268

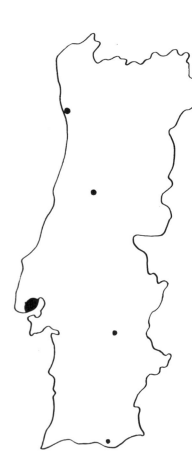

REGIÕES AUTÓNOMAS

ARQUIPÉLAGO DOS AÇORES:
9 ilhas: S. Miguel, St.ª Maria, S. Jorge, Terceira, Graciosa,
Pico, Faial, Flores e Corvo.

área:	2 355 km2
população(*):	236 709

ARQUIPÉLAGO DA MADEIRA
2 ilhas: Madeira e Porto Santo

área:	796 km2
população:	253 045

(*) Resultados Preliminares Censos 91

O PORTUGUÊS É A LÍNGUA OFICIAL DE VÁRIOS PAÍSES:

BRASIL
GUINÉ-BISSAU
CABO VERDE
ANGOLA
SÃO TOMÉ E PRÍNCIPE
MOÇAMBIQUE

OS PAÍSES DE LÍNGUA PORTUGUESA

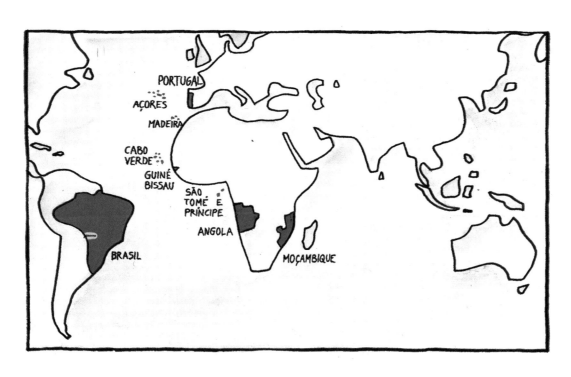

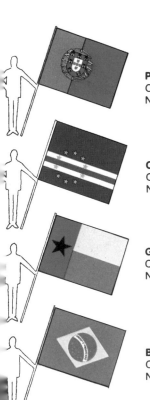

Portugal
Capital: Lisboa
Nacionalidade: Portuguesa

Cabo Verde
Capital: Cidade da Praia
Nacionalidade: Caboverdiana

Guiné-Bissau
Capital: Bissau
Nacionalidade: Guineense

Brasil
Capital: Brasília
Nacionalidade: Brasileira

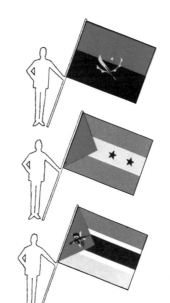

Angola
Capital: Luanda
Nacionalidade: Angolana

São Tomé e Príncipe
Capital: São Tomé
Nacionalidade: Sãotomense

Moçambique
Capital: Maputo
Nacionalidade: Moçambicana

14

1.1 A Ana e o João estão na esplanada; o Carlos passa na rua e cumprimenta a Ana...

Carlos: Olá, viva!

Ana: Olá, bom dia!

João: Quem é ele? Eu não o conheço...

Ana: É o Carlos Santos. É meu vizinho.

João: O que é·que ele faz?

Ana: Trabalha na Rádio.

João: Ah sim? É jornalista?

Ana: Não. Trabalha nos serviços administrativos.

João: Parece simpático!...

Ana: Ele é simpático...É mesmo muito simpático!...

Uma esplanada, em Lisboa, na Praça dos Restaudores

Entrada da Biblioteca Municipal
no Palácio das Galveias

1.2 A Joana encontra a Teresa e apresenta-lhe o irmão — o Miguel.

Joana: Olá Teresinha, bom dia!
Teresa: Ó Joana! Olá, por aqui? Estás boa?
Joana: Estou óptima.
      É verdade, já conheces o meu irmão?
Teresa: É o teu irmão?!
      Sou a Teresa Almeida. Muito prazer.
Miguel: Muito prazer, Miguel Ramos.
Joana: Para onde é que tu vais?
Teresa: Vou para a biblioteca.
Miguel: Olha que coincidência! Nós também...
Joana: Óptimo! Vamos todos...

1.3 O João e o Pedro, são amigos e encontram-se na rua, por acaso...

J: Olá, bom dia. Tudo bem?
P: Olá João! Viva! Como é que estás?
J: Estou óptimo. Onde é que vais?
P: Vou ali ao quiosque, vou comprar
o jornal. Queres vir também?
J: Não, agora não posso. Não tenho tempo.
Eu telefono-te mais tarde. OK?
P: Está bem. Então até logo.
J: Até logo.

1.4 A D. Manuela apresenta a sra. D. Ana Oliveira ao Director.

D. Man.: Dá-me licença sr. Director? Está aqui uma
senhora que quer falar com o senhor. É jornalista.
Dir.: Ah sim? Pode mandar entrar.
D. Man.: Faça favor de entrar minha senhora.
(para a senhora) Apresento-lhe o senhor director.
(para o director) É a sra. D. Ana Oliveira.
Dir.: António Fernandes. Muito prazer minha senhora.
Ana: Boa tarde sr. Director. Sou a Ana Oliveira.
Muito prazer.
Dir.: Faça o favor de se sentar.
Toma um café?
Ana: Um café? Tomo com muito gosto.
Muito obrigada.

Cumprimentando:

```
Bom dia!
Boa tarde!
Boa noite!
  Olá!
  Viva!
```

| Como | está | (o senhor) ? |
| Como | vai | (a senhora)? |

| Como | estás | (tu)   ? |
| Como | vais | |

```
Bem, obrigado/a
   Óptimo/a
   Tudo bem
Mais ou menos
```

Despedindo-se:

```
Até logo
Até amanhã
Até qualquer dia
  Adeus
```

Apresentando:

| (O senhor) | Já | conhece | o Pedro Santos? |
| | Apresento-lhe | | o Pedro Santos. |

Muito prazer

| (Tu) | Já | conheces | o Pedro Santos? |
| | Apresento-te | | o Pedro Santos. |

Muito prazer

Apresentando-se:

| (Eu) | sou | a Teresa Almeida |
| | | Teresa Almeida |

Perguntando:

| QUEM | é | (ela)? |
| | | (ele)? |

Respondendo:

| (Ela) | é | a | Teresa |
| (Ele) | é | o | Pedro |

O QUE	é que	ela ele	faz?			
			faz	ela? ele?		
				(Ela) (Ele)	Trabalha	NA \<em+a\>	Rádio Polícia
						NUMA \<em+uma\>	Escola Oficina

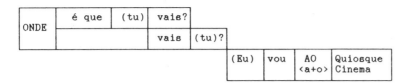

ONDE	é que	(tu)	vais?			
		vais	(tu)?			
			(Eu)	vou	AO <a+o>	Quiosque Cinema

ONDE	é que	o Zé ele	vai?			
		vai	o Zé? ele?			
			(O Zé) (Ele)	vai	À <a+a>	Tabacaria Papelaria Biblioteca
			(Ele)	vai	COMPRAR BEBER	o jornal um café

PARA ONDE	é que	vocês	vão?	
		vão	vocês?	
			(Nós)	vamos para a Escola o Hospital

(Tu)	Queres	VIR IR	também?
(O senhor)	Quer		comigo?
		Vou, vou. Não, agora não posso (IR), obrigado/a.	

O sr. dá-me licença?

Sim,   faz favor.
Faça favor [de ENTRAR]

É o Carlos Santos É (o) meu vizinho É simpático
Trabalha nos serviços administrativos

Sou a Teresa Almeida Vou para a Biblioteca

PESSOAS... COISAS... LUGARES...

Na papelaria há

- Papel
- Pastas
- Canetas
- Borrachas

A Dr.ª Teresa Almeida é professora de desenho e trabalha numa escola secundária.

Na farmácia vende-se

- Comprimidos
- Xarope

O Miguel e o Tiago são irmãos e estudam numa escola.

Na escola aprende-se

- Línguas
- Matemática
- Ciências
- História
- Desenho

O Sr. Silva é empregado de balcão e trabalha na tabacaria.

A Madalena é secretária do Dr. Silveira.

Na tabacaria há

- Tabaco
- Jornais
- Livros
- Postais
- Revistas

O Eng. Ferreira é director de uma empresa

Na padaria vende-se

- Pão caseiro
- Carcaças

O Dr. Silveira é médico e trabalha num hospital de Lisboa

Na frutaria compra-se

- Laranjas
- Maçãs

2.1 Alguém bate à porta e a D. Susana vai abrir...

(ding-dong...)

D. Susana: Quem é?

    J.B.: Sou eu, minha senhora, o Jorge Barreiros.

D. Susana: Quem?

    (abre a porta)

    J.B.: A senhora desculpe; a sra. D. Clara Fonseca está?

D. Susana: Não, não. Essa senhora não mora aqui!

    J.B.: Ah! Mas esta é a rua da Torre, não é?

D. Susana: Sim, de facto é...

    J.B.: E o número da porta é o 32, não é?

D. Susana: Não, não. O número desta porta é o 23! O senhor trocou o 32 com o 23!...

    J.B.: Ó minha senhora! desculpe... Peço-lhe muita desculpa...

D. Susana: Não tem importância. Bom dia.

2.2 No escritório, o Dr. Alves pede uma informação à secretária, a D. Clara...

Dr. Alves: D. Clara, pode dizer-me a morada do
sr. Eng. Sousa, por favor?

D. Clara: É só um minuto, sr. Dr.. Vou procurar na
agenda... Ora O...P...Q...R...S...Saramago...
Santos... Sousa... cá está.
É na Av. das Descobertas, n.º 124, 1400 Lisboa.

Dr. Alves: E o telefone? Está aí o número?

D. Clara: Está sim, sr. Dr.; estão aqui dois números
diferentes... de manhã é o 35 35 08; à tarde é o 89 85 83.

Dr. Alves: Muito obrigado.

D. Clara: De nada.

2.3 O Jaime encontra o Miguel na rua. Eles não se viam há muito tempo e o Miguel convida-o para ir a casa dele.

Jaime: Olha o Miguel! Como estás? Há muito tempo que não te via!

Miguel: Olá Jaime? Como estás? E a família, em casa? Tudo bem?

Jaime: Tudo óptimo! Ainda estás a trabalhar no Ministério?

Miguel: Eu não. Já não estou lá...Agora sou gerente de uma agência de viagens. Estou a trabalhar no Estoril e moro em Cascais.

Jaime: A sério? Moras em Cascais? Então estamos perto... Eu também moro em Cascais! Tens telefone?

Miguel: Não, ainda não tenho. Mas dou-te a minha morada; à noite estou sempre em casa, nunca saio. Tens aí caneta e papel?

Jaime: Tenho, tenho aqui a agenda. Diz...

Miguel: É na Rua António Silva, 67, 1.º Dt.º. É perto do largo principal. Vais lá depois do jantar?

Jaime: Vou com certeza. Até logo.

Miguel: Então está combinado. Até logo.

Cascais é uma cidade que fica a poucos quilómetros de Lisboa

2.4 Entre duas amigas...

Marta: Joana, conheces o Pedro Santana?
Joana: Não, não sei quem é.
Marta: Mas ele conhece-te;
      É um amigo do Carlos e da Susana.
      É um rapaz alto, moreno...
Joana: Joga ténis?
Marta: Ténis, acho que não. Mas gosta muito de
      automobilismo.
      Tem 20 anos, mais ou menos;
      e tem um carro muito desportivo...vermelho.
Joana: Ah! é o "Bombeiro"!
Marta: Não é nada...Ele trabalha nos CTT,
      Acho que está a acabar o curso de Engenharia...
Joana: Pois é. É o "Bombeiro"... Mora na minha rua.
      Anda sempre muito depressa...num carro
      vermelho...só não tem sirene!

2.5 **A Maria é estudante. Está a tirar um curso de Sociologia.**
Hoje está a fazer perguntas na rua, porque ela quer saber
se os Portugueses gostam do trabalho que fazem...
Primeiro falou com o sr. Nunes...

Entr.: Boa tarde. O senhor desculpe. Posso
fazer-lhe algumas perguntas?

Sr. N.: Com certeza minha senhora!

Entr.: O que é que o sr. faz?

Sr. N.: O que é que eu faço? Eu sou motorista da Carris aqui em Lisboa.

Entr.: Há quanto tempo trabalha na Carris?

Sr. N.: Ui! Há muitos anos... 23... 24... Há 24 anos!

Entr.: E gosta do seu trabalho?

Sr. N.: Claro que gosto! Gosto muito de conduzir
autocarros! Os autocarros são grandes e
pesados.
São assim como eu! Ah... Ah... Ah...

Entr.: Muito obrigada.

Sr. N.: Ó minha senhora não tem que me agradecer, foi um prazer.

Autocarros em circulação
na Praça do Comércio

2.6 ...Depois falou com a sra. D. Zélia

Entr.: Boa tarde minha senhora. Eu gostava de lhe fazer algumas perguntas... Posso?

Sra. Z.: Com certeza. Diga...

Entr.: Onde é que a senhora trabalha?

Sra. Z.: Eu trabalho no Hospital de Sta. Maria, sou enfermeira.

Entr.: E gosta do trabalho que faz?

Sra. Z.: Ah sim, sim. Gosto muito.

Entr.: Há quanto tempo é enfermeira?

Sra. Z.: Há 5 anos.

Entr.: E mora muito longe do Hospital?

Sra. Z.: Não, não é muito longe... São 20 minutos de autocarro, mais ou menos.

Entr.: Muito obrigada.

Sra. Z: De nada.

Acesso ao serviço de urgência do Hospital de Sta. Maria

Pedindo desculpa:

Desculpe				
(Eu) Peço	muita imensa	desculpa	sr. doutor minha senhora	
			O senhor A senhora	desculpe

Não tem importância
Não faz mal
Não se preocupe

Pode	dizer-me	a morada de... ?
Pode-me	dizer	a morada de... ?

É na Avenida ... na Rua... no Largo...
A morada é: Avenida... Rua...

Perguntando...

Está aí	o numero?	
	O número	está aí?

Sim, sim. Está aqui.
Não, não está aqui.
Aqui estão dois números...

A D. Clara	está?

Não, não está. Não, essa senhora não mora aqui.
Está sim. Só um momento.

Ainda estás a trabalhar no Ministério?

Sim, AINDA estou (...)
Não, JÁ NÃO estou.

Qual é o número da porta?

	O número	da <de+a>	porta é o..
		desta <de+esta>	

Onde é que	(o senhor)	trabalha?
Onde		ESTÁ A TRABALHAR?

No Estoril
ESTOU A TRABALHAR no ...

Onde é que (a senhora)	trabalha?
	mora?
	vive?

(Eu)	trabalho	EM	Lisboa
			Paris
(eles)	moram	NA	Rua..
			Avenida..
(nós)	vivemos	NO	Largo

| (tu) | conheces o...? |
| (o sr.) | conhece a... ? |

Não, não conheço
Não, não sei quem é
Sim, conheço perfeitamente

Há quanto tempo (é que) trabalha [...]?

HÁ	muito tempo
	pouco
	muitos anos
	poucos
	cinco anos

Iniciando uma entrevista:

| Desculpe | posso | FAZER umas perguntas... |
| | gostava de lhe | |

Com certeza
Faça favor [de DIZER]

(eu) ESTOU	EM Sintra
	A TRABALHAR
	perto de...
	contente

| (tu) ÉS | um rapaz | alto | moreno |
| | uma rapariga | alta | morena |

29

serviços de urgência

SOS	NÚMERO NACIONAL DE SOCORRO		**115**
✳	INTOXICAÇÕES		**795 01 43**
H	HOSPITAIS	S. José	**886 08 48**
		Santa Maria	**797 51 71**
		S. Francisco Xavier	**301 73 51**
POLÍCIA	Segurança Pública / P.S.P.		**346 61 41 - 347 47 30**
	Judiciária - Piquete		**57 48 66 - 53 53 60**
	Marítima		**60 61 01**
	Municipal - Protecção Civil		**726 90 22**

GNR - GUARDA NACIONAL REPUBLICANA	Comando		**347 56 36**
	Brigada de Trânsito		**395 22 27 - 395 20 22**
GUARDA FISCAL			**814 80 09**
CENTRO DAS TAIPAS	Informação Droga	Rua das Taipas, 20	**342 85 85**
CENTRO SOS VOZ AMIGA	Prevenção do Suicídio	das 16 às 24 horas	**54 45 45**
LINHA ABERTA	Informação sobre Uso/Abuso de Drogas	Lisboa das 12 às 24 horas	**726 77 66**

serviços de utilidade pública

AEROPORTO DE LISBOA ANA, EP	Informações		**80 20 60**
	Partidas e Chegadas de Aviões		**80 22 62**
			80 45 00
CÂMARA MUNICIPAL DE LISBOA	Geral		**346 29 51**
	Buracos em pavimentos - Rotura de canalizações		**87 49 54**
	Iluminação pública		**396 07 84**
	Remoção de lixos, desobstrução de sargetas e fossas, lavagem e limpeza de ruas		**60 43 66**
	Rotura de esgotos na via pública		**87 49 54**

METROPOLITANO DE LISBOA			**355 84 57**
CAMINHOS DE FERRO PORTUGUESES			**888 40 25**
CARRIS			**363 20 44 - 363 93 43**
ÁGUA - EPAL	Geral		**346 13 61**
	Serviço Permanente - Roturas na rua		**0500 15 00***
ELECTRICIDADE - EDP	Informações		**352 70 21**
	Faltas de Corrente		**726 90 04**
	Leituras / Área da Grande Lisboa		**397 20 61**
	Iluminação Pública - C.M.L.		**396 07 84**
GDP - GÁS DE PORTUGAL, S.A.	Fugas de gás (24 horas)		**858 53 09**
			858 10 11
INSTITUTO DE PROMOÇÃO TURÍSTICA	Geral		**388 11 74**
	Postos de Turismo - No Aeroporto		**849 36 89**
	Em Santa Apolónia		**866 79 48**
	Na Rocha do Conde de Óbidos		**396 50 19 - 348 36 43**
TURISMO - DIRECÇÃO GERAL	Geral		**57 50 86**
	Informações (Sede)		**315 50 91**
LINHA RECTA	Atender / Encaminhar Acolher Sugestões do Cidadão		**347 55 05**
SECRETARIADO EUROPA 1992	Informações sobre a CE		**0500 19 92***

V — ABREVIATURAS

1) nomes

Os nomes próprios abaixo indicados poderão ser abreviados da seguinte forma:

Alberto	— Albtº	Fernando	— Fernº
Álvaro	— Álvº	Francisco	— Francº
António	— Antº	Joaquim	— Joaq
Augusto	— Augº	Manuel	— Mel
Cândido	— Cândº	Maria	— Mª
Eduardo	— Edº		

2) moradas

a) Publica-se a morada em ordem inversa, isto é, primeiro o número do prédio, andar, sala, etc., e depois o nome do arruamento.
b) Os arruamentos serão publicados com as indicações abreviadas de Avenida (Av); Praça (Pç); Calçada (Cç); Pátio (Ptº); etc., exceptuando-se o caso de «Rua» em que não se publica qualquer indicação.
c) Além das abreviaturas já consagradas, tais como: Actor (Act); Conde (Cdª); Conselheiro (Consº); Coronel (Cel); General (Gen); Marechal (Mar); Nova (Nv); Padre (Pª); etc., ou absolutamente compreensíveis: (Antº — António, Ferrª — Ferreira, Olivª — Oliveira, etc.), serão efectuadas abreviaturas em alguns arruamentos, conforme índice alfabético constante das páginas 27 e 28.
Exemplos:

122,1º Av Aliados — Av dos Aliados nº 122, 1º andar
32,4º-D Pç Liberd — Praça da Liberdade nº 32, 4º Direito
11,1º-E Ceuta — Rua de Ceuta nº 11, 1º Esquerdo

[handwritten notes:]

Celeste Branco
Av. E.U.A. nº 23 - 1º Dto
1700 LISBOA
775823   Fax

DR DUARTE Castro
Av. Almirante Reis nº 10
5496273   Fax

Eng Castrin (Cascais)
R. dos Palmeiras
Lt 103 - 1º Esq
2682930   Fax

Margarida Sá (Sintra)
R: de Santa Maria, Lt 17-5ºEsq

Cristina Peres
   (TINA)
18 anos
cabelo(s) louro(s)
olhos verdes
solteira

Muito elegante, moderna e
   simpática
Gosta de vestir bem.
É estudante de jornalismo.
Agora trabalha como modelo.
Os amigos chamam-lhe "Manequim".

Dr. Augusto Rocha
45 anos
cabelo(s) preto(s)
olhos castanhos
casado
não tem filhos

Elegante, alto e magro.
Gosta de fumar cachimbo.
É advogado há cerca de 24 anos.
Gosta de resolver problemas difíceis.
Os amigos chamam-lhe "Detective".

Sr. José Silva
52 anos
muito moreno
com pouco cabelo
olhos pretos
casado
5 filhos e 2 netos

Baixo e forte, é agricultor e
gosta muito de rir e brincar.
Está sempre a contar anedotas.
Os amigos chamam-lhe "palhaço".

3.1 Na pastelaria uma criança fala com o empregado...

C.: Olhe, faz favor, quanto é que custa aquele bolo com creme?
E.: 55$00.
C.: Tão caro? Não tenho dinheiro. Só tenho 20$00.
E.: Só tens 20$00? Com 20$00 não compras nada!
Olha, eu hoje estou bem disposto, ofereço-te o
bolo, está bem?
C.: Sério? Que bom! Obrigado e até já...

3.2 Na cervejaria o Carlos pede a conta, paga e vai-se embora.

C — Queria a conta, se faz favor.
E — O que é que o senhor paga?
C — O que eu pago é: um prego, uma imperial e uma bica.
E — São...210 mais a bica...250$00 tudo.
C — Aqui tem 280. Pode guardar o troco.
Boa tarde e obrigado.
E — Obrigado eu, muito boa tarde.

O Martinho da Arcada

é um café

que tem uma história para contar

3.3 No café...

Cliente: Bom dia, era um chá e uma torrada,
se faz favor.
Empregado: Mais alguma coisa?
Cliente: Não, não. Obrigado. Quanto é tudo?
Empregado: São 150$00 (cento e cinquenta escudos).

Empregado: Boa tarde, faz favor de dizer...
1.ºCliente: É uma cerveja e uma bifana,
por favor.
Empregado: E o senhor deseja alguma coisa?
2.ºCliente: É só um café e uma água sem gás.
Empregado: A água é fresca ou natural?
2.ºCliente: Natural, por favor.

Cliente: Olhe, faz favor. Queria um galão e uma tosta de
queijo; mas depressa , sim?
Empregado: É para já. É só um minuto.
Cliente: E pode-me dizer onde é a casa de banho?
Empregado: É aquela porta ao fundo, à direita.
Cliente: Obrigadinho.

3.4 As raparigas pedem a conta, pagam e vão-se embora

1 — Olhe, podia trazer-nos a conta, se faz favor?
E — É junta ou separada?
2 — Pode ser junta, nós depois dividimos...
E — Ora então, as senhoras pagam o quê?
1 — São dois pregos, uma tosta mista, um quarto de
leite, um sumo de laranja, uma cerveja e três bicas.
E — 230...370...487 e meio, mais as bicas são...577 e quinhentos. Ora, a
dividir por três dá 192 e quinhentos a cada uma.
1 — Aqui tem. Pode guardar o troco. Muito obrigada.

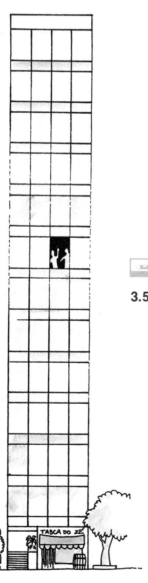

3.5 A Manuela e o Miguel trabalham na Av. da Liberdade no sétimo andar de um prédio moderno. Por baixo, no rés-do-chão, há um pequeno restaurante muito agradável.

Manuela: Ó Miguel, estou com muita fome.
Vou comer qualquer coisa lá em baixo; queres
vir?
Miguel: É uma óptima ideia. Já são duas horas e nós temos
que almoçar. Eu também tenho fome, sabes?
Acho que vou comer uma feijoada.
Manuela: Achas que temos tempo?
Miguel: Claro. Lá em baixo, na Tasquinha, o serviço é
bom, rápido e barato...
Manuela: Sim, mas eu não vou comer feijoada...é um prato
muito pesado, e eu tenho que trabalhar à tarde...
Vou comer pastéis de bacalhau com salada...
é uma comida mais leve!
Miguel: Mas isso é o que tu comes todos os dias!...

3.6 **A Luísa quer saber se há um café perto,**
por isso pergunta a um agente da polícia...

Luísa: Boa tarde. O senhor pode-me dizer onde
é que há, aqui perto, um lugar calmo...um
café...uma pastelaria...
Agente: Um café? Há um já ali à direita.
Luísa: E o senhor sabe-me dizer se é um lugar calmo?
Agente: Não sei minha senhora, mas acho que sim.
É um café pequeno, tem um ambiente familiar,
é muito agradável.
Luísa: Ainda bem! Muito obrigada sr. guarda.
Agente: De nada, minha senhora. Boa tarde.

Pequeno café de bairro

Pedindo uma informação:

... pode-me dizer	onde há um café?

Sim, sim. Há um já ali	à direita
	à esquerda

O senhor sabe-me dizer se é um lugar calmo?

Acho que	sim
	não

Pode-me	dizer onde fica a casa de banho?
Sabe-me	

É	ao fundo, à direita
Fica	

Achas que temos tempo?

Claro!		
Claro	que	temos!
Acho		sim

Agradecendo uma informação:

Muito obrigada/o	
	sr. guarda

De nada   minha senhora
Não tem que agradecer

Pedindo (no café):

Era [...]	por favor
Queria [...]	
É [...]	se faz favor
Olhe, faz favor!	Queria [...]

E mais alguma coisa?

É só,	obrigado.
É tudo	
Mais nada	

Pedindo a conta:

Podia trazer a conta Queria a conta Era a conta A continha	se faz favor por favor
Quanto é que eu devo Quanto é tudo Quanto é	por favor? se faz favor?

Com certeza É só um minuto   Só um bocadinho

Convidando alguém:

Queres VIR? ((tu)) Quer   VIR? ((o senhor))

É uma óptima ideia. Que boa ideia.	Também VOU.

Exprimindo uma obrigação:

TENHO QUE	trabalhar à tarde
TENHO DE	

Manifestando um estado:

ESTAR COM	fome
TER	sede

QUANTO		custa?
	é que	custa?

O QUE		deseja?
	é que	deseja?

Restaurante
A CASA do MANEL

Ementa

Sopa: CALDO VERDE . . . . . . .100$00
      CANJA DE GALINHA . . . .120$00

Pratos do dia:

Peixe: PESCADA COZIDA c/ TODOS. .650$00

       PASTEIS DE BACALHAU
           c/ ARROZ E SALADA .500$00

Carne: FEIJOADA À TRANSMONTANA .550$00
       FRANGO ASSADO NO FORNO. .500$00
       BITOQUE. . . . . .675$00

Sobremesas: FRUTA DA ÉPOCA . . . p.v.

   Doces: ARROZ DOCE . . . . .110$00
          LEITE CREME . . 130$00

Vinho da Casa: GARRAFA DE 75 cl.

PREÇOS DE CAFETARIA (a)

CAFÉ BEBIDA "BICA" BALCÃO	60$00	
MESA	75$00	
CARIOCA DE CAFÉ ... ESPLANADA	90$00	
COPO DE LEITE	95$00	
CHÁVENA DE CAFÉ COM LEITE..	80$00	
GAROTO	60$00	
GALÃO	120$00	
TORRADA	110$00	
PÃO COM MANTEIGA.........	95$00	

SANDES:
DE FIAMBRE..............	140$00
DE QUEIJO FLAMENGO	135$00
MISTA..................	215$00
CACHORRO	180$00
PREGO NO PÃO	260$00
SALGADOS	55$00
PASTELARIA VARIADA	65$00

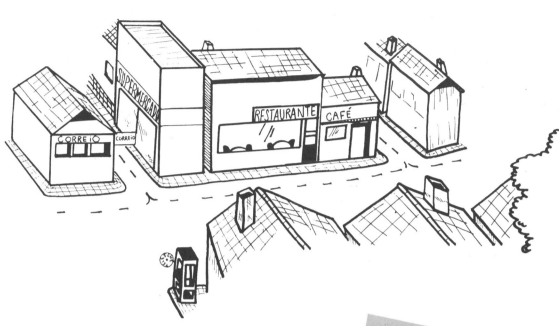

**4.1 A Teresa quer saber onde fica o correio;
por isso pergunta a uma pessoa na rua...**

Teresa: Bom dia. A senhora desculpe...sabe-me dizer
onde fica o correio?
X: O correio?...Aqui perto?...não estou a ver,
não sei; eu não moro aqui...não conheço bem
esta zona...é melhor perguntar a outra pessoa.
Teresa: Obrigada e desculpe, sim?
X: Ora essa, minha senhora, eu é que peço
desculpa, mas de facto não sei!

**4.2 O Francisco está na Baixa; quer ir para o
Museu da Cidade, mas não sabe como...**

Fran.: Olhe, por favor, podia-me dizer como se vai
para o Museu da Cidade?
Inês: Para o Museu da Cidade? Esse Museu
fica lá em cima no Campo Grande...é longe.
É melhor ir de autocarro.
Fran.: E qual é o melhor autocarro?
Inês: O 36 vai directo para o Campo Grande e é
muito frequente. Passa de 5 em 5 minutos,
mais ou menos...
Fran.: E que distância é daqui até ao Museu?
Inês: Ah... não sei bem...talvez uns 8 quilómetros.
Fran.: E pode-me dizer quanto custa um bilhete de
autocarro?
Inês: Acho que é cerca de 75$00,
mas não tenho a certeza.
Fran.: Muito obrigado.
Inês: De nada.

4.3 O Alexandre não tem relógio e por isso não sabe que horas são...

Alexandre: Oh! Esqueci-me do relógio em casa!
(Dirige-se a uma senhora, na rua...)
— Minha senhora, desculpe.
Sabe-me dizer que horas são?
D. Eduarda: — Com certeza; faltam 10 para as 11.
Alexandre: — Já é tão tarde?...Muito obrigado.
(Fica a falar sozinho)
Mas o que é que eu faço agora? Já não
vou chegar a horas!
O melhor é apanhar um taxi...
Tenho que estar na Estação do Rossio
às 11 em ponto!

4.4 No guiché de informações da Estação de Santa Apolónia o sr. Santana quer saber como pode ir a Coimbra.

Sr. S.: Bom dia minha senhora.
Qual é o horário dos comboios para Coimbra?
Inf.: O senhor tem um comboio agora às 9 horas.
O próximo parte às 11 e 5; e o seguinte é
só ao meio-dia e vinte.
Sr. S.: E quanto tempo demora?
Inf.: É rápido, demora cerca de hora e meia.
Sr. S.: E o comboio pára mesmo no centro da cidade?
Inf.: Não, não. Pára em Coimbra B; mas depois há
várias ligações para a cidade.
Sr. S.: Então queria dois bilhetes, ida e volta, se
faz favor.
Inf.: Isso não pode ser aqui. Nós aqui não vendemos
bilhetes. O senhor tem que ir àquele guiché
ali ao fundo.
Sr. S.: Qual deles? aquele que tem muita gente?
Inf.: Não. É o outro que está ao lado.
Sr. S.: Ah! Muito obrigado.

B
L
O
C
O

4

41

4.5 São 5 e meia. Está na hora de sair do escritório...

Jaime: Bom, são 5 e meia. Está na hora.
Vou-me embora. Vou para casa.
Quem quer vir comigo?
Miguel e Matilde, querem vir?

Matilde: E como é que vais? Vais de autocarro?

Jaime: Não, hoje vou de carro, posso
dar boleia... não querem vir?

Matilde: Obrigada, mas eu prefiro ir a pé. Tenho
tempo, posso passear um bocadinho! além disso,
é mais seguro!

Miguel: Tens razão. Eu também prefiro ir a pé...
ou de autocarro!...posso demorar mais
tempo, mas...tenho a certeza que chego
a casa vivo!

Jaime: Mas que engraçados que vocês são...
Eu já tenho a carta há 15 dias...

Pedindo uma informação:

(...) Onde FICA o Correio?

(O Correio) FICA Na Av...

...como é que	se	vai para...? pode ir para...?
	eu	posso ir para...?

O senhor pode IR a pé...
A senhora pode APANHAR um taxi

Podia dizer-me as horas, por favor?   Tem horas, por favor?   Que horas são?

São 10 horas
Faltam 5 PARA as 10

Exprimindo
  desconhecimento:

(Aqui) .não	estou a ver conheço sei (bem)

Aconselhando:

É MELHOR	PERGUNTAR (a outra pessoa) IR (de autocarro) APANHAR (um taxi)

Indicando distância :

Do Rossio ATÉ Ao Museu são 8 km...
DAQUI ATÉ Ao Museu são 8 km...

e valores aproximadôs:

...são uns 8 km...   ...são cerca de 8 km...

QUAL É	o melhor autocarro? o guiché?
QUAL Deles é	[...] ?

O autocarro	passa DE 5 EM 5 minutos
O comboio	parte Às 9 horas
	demora 1 hora e meia

(Eu) posso	DAR boleia
	DEMORAR
	IR para casa

Eu prefiro Eu gosto mais de	IR A pé IR DE autocarro

ir e voltar no mesmo dia

Rapidez • Conforto • Segurança
Preços Reduzidos

Ir e voltar no mesmo dia é a grande vantagem do **Serviço Intercidades,** agora criado pela CP.

O Serviço **Intercidades** garante-lhe o máximo conforto e qualidade, contando com material renovado e horários mais adaptados às suas necessidades.

Tudo a preços reduzidos.

Reserve o seu lugar em 1.ª ou 2.ª classe e, com a máxima segurança, venha até Lisboa de uma das seguintes cidades:

Guarda, Leiria, Faro, Covilhã e Braga, contando agora esta também com a qualidade Alfa. Pode ainda viajar entre a Régua e o Porto.

Ir e voltar no mesmo dia, sempre na melhor companhia.

Informe-se na sua agência de viagens ou nas principais estações da CP.

 Caminhos de Ferro Portugueses

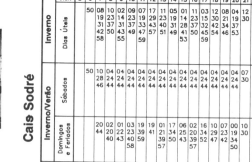

35	CAIS SODRÉ Hosp. Sta. MARIA

35	CAIS SODRÉ Hosp. Sta. MARIA

8	**Hosp. Sta. Maria**
	Cantina Universidade
	Cidade Universitaria
	Campo Grande/Av. Brasil
9	7 *Av. Bras—Hosp*
	P. Alvalade
	Esc. D. Leonor
	Av. Roma/Av. EUA
10	6 *Av. Roma (B.S. Miguel)*
	Piscina—Av. Roma
	João XXI—P. Londres
11	5 *Areeiro*
	P. João Rio
	Areeiro (Av. Af. Costa)
	R. Actriz Virginia
	Al. Af. Henriques
	Mercado Chile
12	4 *P. Chile*
	Morais Soares
	P. Paiva Couceiro
	Esc. Nuno Gonçalves
	Av. General Roçadas
13	3 *Sapadores*
	R. Sapadores
	R. Bartolomeu Costa
	R. Af. Domingues
	R. Mato Grosso
	R. Washington
	Vale Sto. António
	R. Bica Sapato
14	2 *Est. Sta. Apolónia*
	Casa Conto
	Alfândega
	Campo Cebolas
	Sul e Sueste
	Corpo Santo
	1 *Cais Sodré*

Hospital Sta Maria

Fonte Luminosa

Casa dos Bicos

Cais Sodré

Inverno — Dias Úteis

Hor.	5	6	7	8	9	10	11	12	13	14	15	16	17	18	19	20	21	22	23	24	1
	50	08 19 31 42 58	10 23 37 50 55	02 14 31 43	09 23 37 47 59	07 19 33 57	17 29 43 51	11 23 40 49	05 19 31 41	01 14 28 50	11 23 37 53	03 15 32 54 59	12 30 42 46 53	08 21 34 59	04 19 37	12 30					

Inverno/Verão — Sábados

Hor.	5	6	7	8	9	10	11	12	13	14	15	16	17	18	19	20
	50	10 28 46	04 24 44	04 24 44	04 24 44	04 24 44	04 24 44	04 24 44	04 24 44	04 24 44	04 24 44	04 24 44	04 24 44	04 24 44	04 24 44	07 30

Inverno/Verão — Domingos e Feriados

Hor.	6	7	8	9	10	11	12	13	14	15	16	17	18	19	20
	20 44	02 40	01 22 43	03 23 40	19 39 59	19 41 58	01 21 39 57	17 34 50	06 20 43 57	02 34 39	16 39 52 57	10 23 47	07 19 34	00 30 50	10

Verão — Dias Úteis

Hor.	5	6	7	8	9	10	11	12	13	14	15	16	17	18	19	20
	50	07 20 34 47	01 14 28 41 55	08 22 35 49	02 15 27 40 52	05 17 30 42 55	07 20 32 45 57	09 21 33 45 57	09 21 35 45 57	09 21 38 52 57	10 24 34 48 58	06 20 30 44	02 16 40 56	12 26 36 53	08 22	11 30

Hospital Sta. Maria

Inverno — Dias Úteis

Hor.	5	6	7	8	9	10	11	12	13	14	15	16	17	18	19	20
	10	10 27 38 48 59	05 18 31 44 57	11 25 39 54	08 22 36 50	04 18 32 46	00 14 28 42 56	10 24 38 52	06 19 33 46	00 14 28 42	12 27 42 57	12 27 41 54 57	08 21 35 51	09 28 47	07 28 46	04 30

Inverno/Verão — Sábados

Hor.	5	6	7	8	9	10	11	12	13	14	15	16	17	18	19	20
	10	10 30 47	03 20 35 55	15 35 55	15 35 55	15 35 55	15 35 55	15 35 55	15 35 55	15 35 55	15 35 55	14 34 54	14 34 54	15 37 59	21 44	07 30

Inverno/Verão — Domingos e Feriados

Hor.	5	6	7	8	9	10	11	12	13	14	15	16	17	18	19	20
	40	00 20 40	00 20 40	00 20 40	00 20 40	00 20 40	00 20 40	00 20 37 54	12 30 48	06 24 42	00 18 36 54	12 30 48	06 24 42	00 36 48	12 26 48	06 30

Verão — Dias Úteis

Hor.	5	6	7	8	9	10	11	12	13	14	15	16	17	18	19	20
	10	04 27 52 49	03 16 38 57	10 16 43 54	04 24 51 57	07 17 42 59	09 19 44 59	11 22 47 59	11 23 47 59	11 23 47 59	12 23 47 51	08 22 54	04 18 50	00 17 46	09 29 49	09 30

LISBOA-ALGARVE

Estações	Directo 9011 ☼ 1 2	Rápido IC 9003 Ⓡ ♉ 3	Directo 29011/ /29612 4 5	Rápido IC 9005 Ⓡ ♉ 3	Directo 9013 ☼ 1 2
	1-2	1-2	1-2	1-2	1-2
Lisboa (T. do Paço) P	8 25	14 10	15 50	18 05	18 30
Barreiro C	8 55	14 40	16 20	18 35	19 00
Barreiro P	9 12	14 52	16 30	18 47	19 12
Pinhal Novo	9 30		16 46		19 29
Setúbal	9 44				19 44
Tunes C	13 05	17 48	20 18	21 44	23 13
Tunes P	13 12	18 13	20 27	21 54	23 22
Portimão	13 56	19 00	21 27	22 40	0 09
Lagos C	14 28	19 35	22 08	23 12	0 40
Tunes P	13 09	17 50	20 30	21 47	23 17
Albufeira	13 17	17 58	20 39	21 55	23 26
Loulé	13 32	18 12	21 00	22 09	23 45
Faro C	13 47	18 25	21 20	22 23	0 02
Faro P	13 50	18 38	21 21	22 28	0 07
Olhão	14 03	18 51	21 33	22 39	0 19
Tavira	14 31	19 23	22 06	23 03	0 47
V. R. Santo António C	15 01	19 55	22 40	23 27	1 18
V R S Ant.-Guadian C	15 05	19 58	22 43	23 30	

ALGARVE-LISBOA

Estações	Rápido IC 9002 Ⓡ ♉ 3	Directo 9010 ☼ 1	Rápido IC 9004 Ⓡ ♉ 3	Directo 29613/ /29012 6	Directo 9012 ☼ 1
	1-2	1-2	1-2	1-2	1-2
V. R. S. Ant.-Guadian P	6 40	8 10	12 28	13 25	16 10
V. R. Santo António P	6 43	8 13	12 31	13 28	16 13
Tavira	7 17	8 44	13 06	14 01	16 44
Olhão	7 48	9 12	13 36	14 34	17 12
Faro C	7 59	9 23	13 49	14 45	17 22
Faro P	8 12	9 27	14 15	14 54	17 26
Loulé	8 27	9 43	14 28	15 26	17 44
Albufeira	8 43	9 59	14 42	15 57	18 00
Tunes C	8 48	10 05	14 47	16 04	18 06
Lagos P	7 10	8 33	13 20	14 30	16 40
Portimão	7 47	9 13	13 53	15 10	17 14
Tunes C	8 40	10 03	14 41	16 03	17 58
Tunes P	8 55	10 20	14 50	16 10	18 18
Setúbal		13 47			21 47
Pinhal Novo		14 02		19 48	22 02
Barreiro C	11 56	14 20	17 48	20 05	22 20
Barreiro P	12 05	14 30	18 00	20 10	22 30
Lisboa (T. Paço) C	12 35	15 00	18 30	20 40	23 00

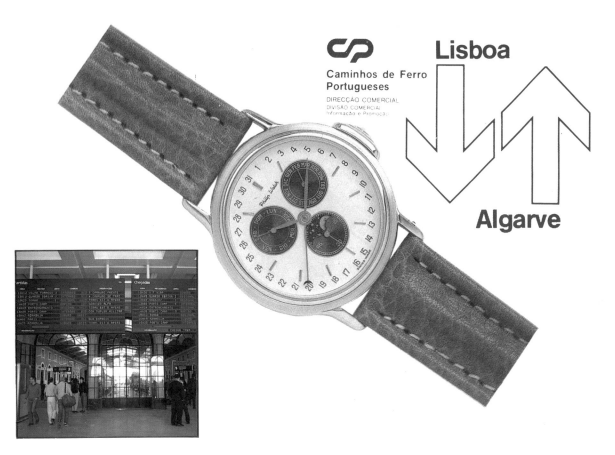

Caminhos de Ferro Portugueses
DIRECÇÃO COMERCIAL
DIVISÃO COMERCIAL
Informação e Promoção

Lisboa

Algarve

Marta Pereira:
22 anos
estudante de Psicologia
amiga do João

João Correia
23 anos
finalista de Arquitectura
amigo de Marta

Lisa Geraldo
21 anos
estudante brasileira,
em férias em casa da Marta.

A Marta vai a casa do João para lhe apresentar a sua nova amiga brasileira — a Lisa

Marta: João, ainda bem que estás em casa...
Quero apresentar-te a Lisa.
É brasileira e é a primeira vez que
está em Portugal.
João: Olá, muito prazer. Sou o João...
Lisa: Oi! Tudo bem?
Marta: Lisa, sabes que o João é um óptimo guia?
Ele sabe tudo sobre Lisboa...Vai mostrar-te
todas as coisas bonitas que há para
ver aqui.
Lisa: Mas que bom! É que eu não conheço nada...
eu não conheço ninguém...só conheço a
Marta...mesmo, não é...?
Marta: E é porque a minha mãe é brasileira e é
muito amiga da mãe da Lisa!...
João: Então a Lisa há quanto tempo está
em Lisboa?
Lisa: Eu? Eu cheguei ontem à tarde!
João: E vai ficar muito tempo?
Lisa: Eu vou ficar aqui em Portugal umas três semana
mais ou menos...
João: Óptimo! Temos tempo para ver muita coisa.
A Lisa gosta de quê?
Lisa: Ai... eu não sei não! Eu acho que gosto de
tudo...Tudo o que você mostrar é maravilhoso!
João: Bom. Vamos fazer um programa completo...
Marta: Eu também quero ir!
João e
Lisa: Claro!...Vamos todos.

LISBOA: CIDADE DAS SETE COLINAS...
UM POUCO DO QUE SE PODE VER EM LISBOA:
— O CASTELO:

1147 — é o ano da conquista de Lisboa.
mas o Castelo é muito mais antigo...

**Hoje eles vão ao Castelo.
Vão de Metro até ao Rossio
e depois sobem a pé a encosta
até ao Castelo...**

João: Está a ver Lisa?
daqui podemos ver a cidade...
Temos a cidade a nossos pés!

Lisa: É isso mesmo!
temos a cidade a nossos pés!
Lisboa é uma cidade maravilhosa!

Marta: Estás a confundir com o Rio de Janeiro...
O Rio é que tem aquela canção:
"Cidade maravilhosa, cheia de encantos mil"...

João: A propósito de música..
Temos que ir ao fado...

Marta: Que boa ideia! Vamos esta noite?

Lisa: O que é o fado? é aquela música triste...

Marta: Não, nem sempre é triste...
umas vezes é triste...outras vezes é alegre.

João: A Lisa não sabe mas vai ouvir!
Agora podemos ir ver Alfama e a Mouraria,
que são dois bairros muito populares...
Ficam já aqui em baixo...e temos que ver de dia.

Marta: E à noite vamos ao Fado no Bairro Alto;
Fica na outra colina...

**No dia seguinte eles vão a Belém.
Fazem a viagem de eléctrico, desde
a Praça do Comércio até Belém...**

João: É aqui. Podemos descer...
Pronto Lisa, está na frente do Mosteiro
dos Jerónimos.
Lisa: Mas é lindo!
João: Pertence ao Património Mundial.
Lisa: Ah! Sim?
Marta: Vocês desculpem, mas eu estou com fome.
Antes do Mosteiro quero ir aos pastéis
de Belém.
João: De acordo. A Lisa tem de provar.
São óptimos!
Marta: E a fábrica existe há mais de 150 anos!
Lisa: Mas é assim tão antiga, é?
Marta: Já vais ver...

UM POUCO DO QUE SE PODE SENTIR EM LISBOA...

de manhã   A ALEGRIA, A VIDA E A COR DO
MERCADO DA RIBEIRA

à tarde

A REALIDADE DOS BAIRROS ALFACINHAS
ALFAMA   BAIRRO ALTO

— A BAIXA POMBALINA:
a cidade depois do terramoto de 1755,
com as ruas paralelas.

— BELÉM
a memória dos descobrimentos.

 6.1 A Clara e a Teresa são irmãs...

Clara: Teresa, que dia é hoje?
Teresa: Hoje? Deixa ver... ontem foi...
quinta, não foi?
Então hoje é sexta...
Clara: Não. eu quero saber o dia do mês...
Teresa: Ah! O dia do mês? Então... estamos em
Junho, ontem foi 30, hoje é 31!
Clara: Ó Teresa! 31 de Junho???
Tu não estás boa da cabeça...
O mês de Junho só tem 30 dias!
Teresa: Oh... Enganei-me! Deculpa lá...
Então hoje é o dia um de Julho...

 **6.2 O Guilherme e o Vitor são arquitectos e trabalham
no mesmo gabinete...**

Guilherme: Ó Vítor, a quantos estamos hoje?
Vitor: Eh pá... não sei... deixa-me ver
no calendário...
Mas onde é que eu pus o calendário?
Guilherme: Está mesmo na tua frente... em cima
da mesa!...
Vitor: Ah... Está aqui. Ora hoje é 6.ª feira, 13.
Guilherme: É sexta??? hoje? Como é que a semana
passou tão depressa?
Vitor: Não sei como é que a semana passou. Mas
sei que hoje é sexta e que amanhã e depois
de amanhã não tenho que fazer nada!...
Guilherme: Que sorte! Eu não posso dizer o mesmo!
Amanhã tenho que fazer o que não fiz ontem
nem hoje. Para mim é sexta-feira, 13 — é
mesmo dia de azar!

6.3 No escritório a Dra. Celeste Guerra fala com a sua secretária, a D. Cristina

Celeste: D. Cristina, já passou à máquina o relatório que eu pedi ontem?

Cristina: Ainda não Sr.ª Dr.ª... ou melhor, comecei mas não acabei... Ontem saí mais cedo, porque fui ao médico, foi por isso que não acabei...

Celeste: Mas acha que hoje pode ficar pronto?

Cristina: De certeza Sr.ª Dr.ª... só faltam 3 páginas! São mais 15 ou 20 minutos...

Celeste: Está bem. Eu só preciso do relatório à tarde. É para a reunião da Direcção, às 3 horas.

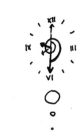

6.4 O Carlos está desesperado... está a ficar cheio de frio e de fome... A Sónia combinou com ele às 8 da noite, à saída da estação do Rossio, junto da porta principal. São 9 e meia... e a Sónia não apareceu!

O Carlos não sabe o que fazer e continua a pensar:

Ora bem... o que foi que ela disse?
Ela disse: — Oito horas à saída da estação do Rossio..., junto da porta principal.
É aqui. Não há dúvida!
Mas passaram as oito, as nove... e agora já passa das nove e meia!
Não posso imaginar o que é que aconteceu!
Além disso, faz frio na rua... eu estou a ficar gelado...

51

6.5 A Tina encontrou o Jorge hoje de manhã na paragem do autocarro e ficaram a conversar...

Tina: Olá Jorge! Já estás aqui na paragem
há muito tempo?

Jorge: Não. Cheguei há poucos minutos...

Tina: Felizmente que hoje faz sol!
Está um dia bonito.

Jorge: Ainda bem! Ontem esteve horrível;
Choveu todo o dia!
Sabes o que é que aconteceu à Mariana?

Tina: A Mariana, a tua irmã?
não, não sei; o que foi?

Jorge: Ontem de manhã levantou-se mais cedo e
foi arranjar o cabelo... não se lembrou
de levar o guarda-chuva, deixou-o em casa...
Saiu do cabeleireiro e de repente começou
a chover... "Olha", ficou toda molhada!
Mas completamente molhada... sapatos,
roupa, mala... tudo!
Eu vi-a quando cheguei a casa!

Tina: E os cabelos?

Jorge: Os cabelos ficaram a pingar! Nem sinal
do cabeleireiro!...

Tina: Pobre Mariana! ficou furiosa, não?

Jorge: Pois... tu conheces a minha irmã... sabes como ela é.
Meteu-se no quarto com um ataque de fúria, só saiu de lá
para jantar.

**6.6 Ontem à noite, depois do jantar, o Samuel e o
Diogo foram ao cinema. Quando sairam
encontraram o Gonçalo e ficaram a conversar...**

Gonçalo: Então o filme? foi bom?

Samuel: "Beh"... nem bom nem mau...
Serviu para passar o tempo...

Diogo: E tu, o que é que fizeste hoje?

Gonçalo: Olhem, inesperadamente fui a Sintra...
Os meus pais precisaram de lá ir, e eu
fui com eles...

Samuel: Sintra? É verdade, há muito tempo que
não vou a Sintra... A última vez que fui
a Sintra... deixa-me ver... foi há uns
7... ou 8 anos, estás tu a ver!
E tu Diogo?

Diogo: Eu? Eu nunca lá fui! Os meus pais já lá foram
muitas vezes... já me convidaram para eu
ir com eles, mas eu nunca quis ir...

Gonçalo: Nunca foste? Olha que aquilo é giro!
Combinamos e vamos lá os três um dia destes.
Vale a pena!

Pedindo e dando informações:

Que dia	é	hoje?

Hoje	é sexta
	é 30 (de Janeiro)

A quantos estamos hoje?

Estamos	A	30 (de Janeiro)
Estamos	EM	Janeiro

ESTÁS aqui HÁ muito tempo?

(Eu) CHEGUEI HÁ poucos minutos

(O senhor) JÁ foi a Sintra?
(Tu) JÁ foste a Sintra?

(Eu) JÁ lá FUI	MUITAS VEZES
	VÁRIAS VEZES
	ALGUMAS VEZES
	HÁ 5 anos
NUNCA (lá) Fui	

Pedindo confirmação:

Hoje	É	terça,	NÃO É?
Ontem	FOI	terça,	NÃO FOI?

Justificando-se:

Ontem (eu) saí mais cedo	PORQUE fui ao médico	
	POR ISSO	não acabei ...
	POR CAUSA DISSO	
	foi POR ISSO	que não acabei...
	foi POR CAUSA DISSO	

Exprimindo uma certeza:

É aqui. Não há dúvida
De certeza Sra. Dra.

Pedindo e exprimindo uma opinião:

(A senhora) ACHA QUE pode ficar pronto?

(eu) ACHO QUE sim
ACHO QUE não

Então o filme foi bom?

Nem bom nem mau...
Serviu para passar o tempo...

Reflectindo em voz alta:

Hoje?   DEIXA VER... ontem foi...
A última vez que fui a Sintra... DEIXA-ME VER... foi há...

(Eu)		vi [a Mariana]
		vi [a tua irmã]
		vi- A
(Eu)	não	A vi

PASSARAM AS 8 horas...
Já   PASSA   DAS 1Ø horas...

Expressão do tempo passado:

Ontem
Anteontem
Na semana passada
No ano   passado
Há 3 dias
Há 5 anos

Possessivos:

Os	MEUS	pais
A	MINHA	irmã
A	TUA	irmã?

Um dia de trabalho do Dr. Tavares

No fim do dia o Dr. Tavares escreveu no diário:

"O que é que eu fiz hoje?

Falei ... e ouvi falar
Discuti ... e ouvi discutir
Conversei ... e ouvi conversar
Assinei documentos, tomei decisões
Decidi coisas importantes para os outros!
E eu? o que é que eu fiz?
NADA ... como sempre!
Tudo continuou igual a ontem!
Estou farto de reuniões
Estou farto de pessoas!
Quero mudar de vida..."

29 QUI
thursday jeudi jueves

8 reunião com a Dra Matilde
9 resposta á correpondência
10
11 Discussão do relatório das actividades
12
13 almoço de Trabalho com colaboradores do projecto
14
15 Reunião com o Director
16
17 Encontro com os consultores da fábrica
18
19 Leitura dos relatórios dos estagiários
NOTAS

30 SEX
friday vendredi viernes

8
9
10
11
12
13
14
15
16
17
18
19
NOTAS

Mas afinal o que é que eu fiz hoje??

O Verão que veio do frio

Muitas nuvens hoje de manhã no Norte e Centro. Para a tarde a previsão é de céu pouco nublado. Vento fraco a moderado de noroeste, neblinas e nevoeiros matinais.

Céu azul no fim-de-semana com vento de noroeste e as habituais neblinas durante a manhã.

Hoje e amanhã, sobe a temperatura. Ala p'rà praia. Talvez...

O Independente
18 de Julho de 1989

A Oeste nada de novo

Azul, azul, azul. Nem muito quente nem muito frio, como está, está bem. O vento vem de Leste. Hoje, amanhã e depois, a praia pode ser uma possibilidade.

O Independente
16 de Set. de 1989

Sol envergonhado

Hoje, as nuvens ainda são de Primavera. Amanhã e depois, no Norte voltam a ser de Inverno, com possibilidade de chuva no domingo, durante a noite e manhã.

O Independente
27 de Maio de 1989

O tempo

Cada tiquetaque de um relógio marca um segundo. São precisos 60 segundos para fazer um minuto, 3600 para uma hora e 86 400 para um dia. Quantos tiquetaques haverá por ano? Tantos quantos os segundos, isto é, 31 356 000! Que faz um homem durante um ano? Dorme o correspondente a uma centena de dias e trabalha aproximadamente outros cem.

Que distância percorrem eles?

• Uma pessoa a pé
5 km por hora

• Um ciclista
20 km por hora

• Um cavalo de corridas
90 km por hora

• Uma bala de espingarda
2800 km por hora

Viva Voz n.º 30

7.1 Sábado à tarde... Que dia chato! Não há nada para fazer! Foi por isso que o Zé António telefonou à Rosarinho...

(O telefone toca em casa da Rosarinho)

Ros.: Está?

Zé: Boa tarde. Eu queria falar com a Rosário. Ela está?

Ros.: É a própria. Quem fala?

Zé: Sou eu, o Zé António.

Ros.: Olá! Não estava a reconhecer a tua voz...

Zé: Ainda estavas a dormir? Olha que já não é cedo! O que é que a menina está a fazer em casa ao sábado à tarde?

Ros.: Olha, nada de especial... Estive a trabalhar toda a manhã, e depois do almoço pus-me a ler umas coisas... mas sem entusiasmo nenhum, devo confessar-te.

Zé: Então nesse caso, podíamos ir dar uma volta... O que é que achas?

Ros.: Eu acho uma óptima ideia... Onde é que nos encontramos?

Zé: Eu passo por tua casa daqui a meia hora, está bom?

Ros.: Óptimo. Então até já.

7.2 O Eng. Bernardo Passarinho, administrador da Companhia de Petróleo PETROPIU, vai receber alguns visitantes estrangeiros na próxima semana.
Ele está a tratar dos últimos pormenores e
a D. Otília, a sua secretária, está a ajudá-lo...

Eng.: Eles chegam todos na 2.ª-feira, não é?

D. Ot.: Não, sr. Eng., há dois que chegam no Domingo ao fim da tarde.

Eng.: E quem é que os vai buscar ao aeroporto?

D. Ot.: Bem, o sr. Dr. Correia disse que ia ele.

Eng.: Ah então está bem. Se ele disse que ia é porque vai. Esse problema está resolvido.
E quanto aos que chegam na 2.ª-feira, sabe se eles vão chegar todos ao mesmo tempo?

D. Ot.: Não, não vão chegar ao mesmo tempo. Há um, o representante japonês, creio, que chega mais cedo do que os outros, e não há ninguém para o ir esperar ao aeroporto...

Eng.: A senhora podia ir esperá-lo, não?

D. Ot.: Ó sr. Eng., eu preferia não ir... É que ele chega às 4 e meia da madrugada e eu tenho tanta dificuldade em acordar de manhã!...

**7.3 A Joana estava com imensa vontade de sair de casa...
Apetecia-lhe fazer uma coisa diferente!
Ela preferia tudo menos ficar em casa!...**

Joana: Ó Tiago, esta noite apetecia-me sair,
ir a qualquer sítio...

Tiago: Apetecia-te ir aonde?

Joana: Sei lá! podíamos ir ao Teatro Nacional!...
Era giro...

Tiago: Teatro?... Que horror! É sério demais...

Joana: Então podíamos ir ao cinema! Íamos ver um
filme qualquer para rir... que tal?

Tiago: Também não quero. Não me apetece meter-me
numa sala escura.

Joana: Bem... também podíamos ir a uma discoteca!
Que te parece?

Tiago: Tem demasiado barulho para o meu gosto.

Joana: Bom... também... também podíamos ir jantar fora...,
íamos a um restaurante, tranquilo, elegante, sem
barulho, só com música ambiente... e depois
podíamos ir ouvir música suave a um barzinho
qualquer...

Tiago: Pior ainda!
Mas tu ainda não percebeste que eu não quero
sair de casa esta noite?... Tenho futebol na
televisão...

7.4 A Mónica quer dar uma festa para juntar alguns antigos colegas da Universidade, porque há muito tempo que não se encontram... e tenta convencer o Jorge...

Mónica: Mas Jorge, era tão bom!...
Nós podíamos convidá-los. Eles vinham cá
a casa, tomávamos um copo...

Jorge: Ó Mónica, isso dá muita confusão... Eu sei
por experiência própria.

Mónica: Eu acho que não dá confusão nenhuma... Nós
não jantávamos cá em casa; íamos jantar
fora... podíamos levá-los'a um restaurante
chinês, por exemplo, todos gostam!...

Jorge: Então para que é que eles vinham cá a casa?

Mónica: Era só para beberem um copo, tomarem uns
aperitivos, e conversarmos um bocado...,
mais nada.

Jorge: Mas isso só serve para perder tempo. É
mais prático encontrarmo-nos todos no
restaurante... então não é?

Mónica: Bom... também pode ser. Mas, nesse caso,
vêm todos cá a casa depois do jantar.
Caso contrário não é possível conversarmos...

Jorge: Claro. Assim parece-me melhor!

Mónica: Pronto. Está bem. Deixa isso comigo.

Iniciando uma conversa telefónica:

| `Está?
Estou?
Está lá? | | |
| (Eu) queria
precisava de | FALAR com [...] |

Sugerindo:

| (Nós) | PODÍAMOS | IR ouvir música
IR ao cinema
JANTAR fora |

| Eles
não | VINHAM
JANTAVAM | [cá]
[lá] |

| (Eu) | PREFERIA NÃO IR (...) |

Pedindo opinião:

| O que é | que achas? |
| | Que lhe parece?
Que tal? |

Exprimindo opinião:

	Acho (que é) uma óptima ideia
(Eu)	Acho óptimo / péssimo Acho bem / mal
(Isso) Parece-me	(que é) uma óptima ideia
	Parece-me bem / mal Parece-me melhor / pior

Tem	DEMASIADO	barulho	
É		sério	
Tem		barulho	DEMAIS
É		sério	

Combinando um encontro:

(Eu)	passo	POR	tua casa
(Nós)	Encontramo-nos	NO	restaurante
(Eu)	Espero-te	À	porta

Manifestando um desejo:

Apetecia-me		sair		
Apetecia-me	IR A	qualquer	sítio	
Apetece-me			um sítio um bar	qualquer

Explicitando razões: ·

	Era	giro simpático	
	Era	para	BEBER CONVERSAR
	Era	para	(eles) BEBEREM (nós) CONVERSARMOS

Movimento:

Ele não sai	DE casa
Eu vou	AO aeroporto
Ela vai	PARA casa

Podia	ir esperar [o representante joponês]. ir esperá-LO.

NÃO	há	NINGUÉM

CRÍTICA

	Augusto M. Seabra	João Lopes	Jorge L. Ramos	Manuél C. Ferreira	Vicente Jorge Silva
Dança Fatal	★★	★★	★★★	★★★	
A Luz	★★★★★	★★	★★★★	★★★★★	★★★★
A Minha Bela Lavandaria	★★★★	★★★★	★★★★	★★★	★★★
Um Peixe Chamado Wanda	★	●		★★★	
Viúva... Mas Não Muito	★★★	★★★	★★	★★★★	★

● De mínimo a ★★★★★ a máximo

Expresso, Dez. 88

■ **Quarteto**
R. Flores de Lima, 16, T. 771378. Autocarros: 7,21,27,33,49 e 57. Metro: Roma. 325$ (à 2.ª: 200$). V. "Sessões da Meia-Noite".

Sala 1: Às 15, 17, 19 e 21.30; sáb. Também às 23.30.
CAFÉ BAGDAD (comédia), de Percy Adlons, com Marianne Sagebrecht, Cch Pounder e Jack Palance, M 12.

Sala 2: Às 15, 17, 19 e 21.30; sáb. também às 21.30.
OS FANTASMAS DIVERTEM-SE (comédias de terror), de Tim Burton, com Alec Baldwin, Geena Davis e Jeffrey Jones, M 12. (Últ. exib. dia 9).

O PREÇO DO DESAFIO (drama), de Ramon Merendez, com Edward James Olmos e Lour Diamond Philips. M/12. Estreia dia 10.

Sala 3: Às 15, 17, 19 e 21.30; sáb. também às 23.30.
DANÇA FATAL (drama), de Mike Newel, com Miranda Richardson, Ruppert Everet e Ian Holm. M/16.

Sala 4: Às 14.30, 16.45, 19 e 21.30; Sáb. também às 21.30.
A LUZ (drama), de Souleymane Cissé, com Issiaka Kane, Niamanto Sanogo e Ismaila Sarr. M/12.

■ **Londres.**
Av. de Roma, 7-A, T. 801313. Autocarros: 3, 4, 7, 20, 22, 33, 40, 54 e 56. Metro: Areeiro. Às 14, 16.30, 19 e 21.30. 325$ (à 2.ª 200$).
VIÚVA... MAS NÃO MUITO (comédia), de Jonathan Demme, com Michelle Pfeiffer, Mathew Modine e Dean Stockwell, M S'.

Sala 2. De 2.ª a 6.ª, às 15.30, 18.45 e 21.45; sáb., dom. e fer., às 14, 16.30, 19 e 21.45.
ASSALTO AO ARRANHA CÉUS (acção), de John McTiernan, com Bruce Willis, Bonnie Bedelia e Alan Rickman, M/12.

Adaptado do "Sete"

TELEVISÃO

Os programas de maior audiência

	RTP-1				RTP-2	
1.	Pássaros Feridos	71%	49% 51%	1.	Especial Desporto	40% 73% 27%
2.	Sassaricando	70%	43% 57%	2.	Brega e Chique	36% 41% 59%
3.	Alf	69%	45% 55%	3.	Jornal das 9	35% 54% 46%
4.	Momentos de Glória	67%	50% 50%	4.	Os Intocáveis	34% 52% 48%
5.	Nancy Wake	66%	51% 49%	5.	Acerto de Contas	33% 51% 49%
6.	Heróis da Esquadrilha	65%	53% 47%	6.	Grande Sertão:Veredas	32% 48% 52%
7.	Primeira Página	62%	55% 45%	7.	Sublime Expiação	31% 52% 48%
8.	O Justiceiro	62%	49% 51%	8.	Século XX	30% 50% 50%
9.	Telemundo	60%	54% 46%	9.	Má Raça	29% 51% 49%
10.	Galeria Nocturna	59%	52% 48%	10.	Prazeres e Sombras	29% 53% 47%

SONDAGEM
SE7E/PLURITESTE

RTP 1

19.00 O Justiceiro
("Knight Rider"). Interpretações principais de David Hasselhorf e Edward Mulhare.
41.º episódio.

20.00 Telejornal

21.35 Alf — Uma coisa do outro mundo
10.º episódio: "Alone Again, Naturally" — Após ter tido conhecimento de que um casal de Sacramento tinha um extraterrestre em casa, Alf pede a Willie que confirme o facto.

22.50 Pássaros Feridos
Segundo romance de Collen McCollough, real. de Daryl Duke e int. de Richard Chamberlain, Rachel Ward, Jean Simmons, Ken Howard, Mare Winningham, Piper Laurie, Richard Kiley, Earl Holliman, Barbara Stanwick e Christopher Plummer. 10 episódios.
Drama de um padre ambicioso, dividido entre o desejo de subir na hierarquia da Igreja e o amor "proibido" que nutre por uma mulher.

RTP 2

16.30 Ponto por Ponto
"ABC do Crime", por Artur Varatojo e rubrica de moda, além de entrevistas e reportagens divertidas.

19.40 17 Obras de Grandes Autores
Argumento de Herbert Hartig e realização de Dexso Magyar. 17 programas. Encenação de dezassete obras de outros tantos grandes escritores do século XIX.

19.55 Os Intocáveis
31.º episódio: "Murder under Glass" - Elliot Ness desmascara um importador de Nova Orleães que está a usar uma firma de família que já funciona há seis gerações para conseguir introduzir narcóticos no país.

21.00 Jornal das Nove

21.30 Acerto de Contas

Adaptado do "Sete"

RESTAURANTES

LISBOA

- **A Bicaense.** R. da Bica Duarte Belo, 38/42, tel.365800, 3.ª cl., 60 lug., pr. 650. *Bacalhau na canoa, bife na frigideira, bife à Bicaense.*12-15h e 19-22h. Fecha dom.

- **Trindade.**R. Nova da Trindade, 20-C, tel. 323506. 2.ª cl., 600 lug., pr. 800. *Bifes, mariscos. 9-02h.*

- **Adega da Tia Matilde**. R. da Beneficência, 77. Tel. 77 21 72. 2.ª cl. 220 lugares. pr. 1500. *Caldeirada de peixes, cozido à portuguesa.* 12-16 h e 19-24 h. Fecha dom.

- **Fidalgo.** R. da Barroca, 27. tel. 322900, 3.ª cl., 60 lug. pr. 800. *Arroz de marisco, bacalhau com natas, bife à Fidalgo.* 12-15h e 19-22h. Fecha dom.

- **Gambrinus.** R. das Portas de Santo Antão, 23-25, tel. 321466. Luxo, 80 lug. *Sopa rica de peixe*

- **31 da Armada.** Pç. da Armada, 31, tel 676330, 3.ª cl., 80 lug., pr. 900 *Arroz de tamboril, cabrito assado no forno, cozido à portuguesa.* 12-15.30h e 19-22.30h. Fecha dom. almoço.

Revista "Até Sábado"

MONUMENTOS MONUMENTS

1 Igreja de	LARGO TRINTADE COELHO		11 TORRE DE	AVENIDA DA ÍNDIA	
S. ROQUE	●	15	BELÉM	●	29-43
Church	☐	20-29-30	Tower	☐	15-16
	■			■	
2 Castelo de	LARGO DO CHÃO DA FEIRA		12 MONUMENTO	PRAÇA DO IMPÉRIO	
S. JORGE	●	37	DESCOBERTAS	●	12-27-28-29-43
Castle	☐	10-11-28	Monument to	☐	15-16-17
	■		the Discoveries	■	—
3 CÂMARA	PRAÇA DO MUNICÍPIO		13 Ermida de	RESTELO	
MUNICIPAL	●	1-7-13-14-43	S. JERÓNIMO	●	12
CITY HALL	☐	15-16-17-18-19	Chapel	☐	—
	■			■	
4 PRAÇA DO	PRAÇA DO COMÉRCIO		14 Igreja da	LARGO DA MEMÓRIA	
COMÉRCIO	●	1-7-9-13-14-43	MEMÓRIA	●	27-29
BLACK HORSE	☐	15-16-17-18-19	Church	☐	—
Square	■			■	—
5 SÉ	LARGO DA SÉ		15 Ermida de	ALTO DE S. AMARO	
CATEDRAL	●	37	S. AMARO	●	—
	☐	10-11-28	Chapel	☐	—
	■			■	
6 Igreja da	RUA DA ALFÂNDEGA		16 Basílica da	LARGO DA ESTRELA	
CONCEIÇÃO	●	13	ESTRELA	●	9-20-22
VELHA	☐	3-16	Basílica	☐	25-26-28-29-30
Church	■	—		■	
7 CASA DOS	RUA DOS BACALHOEIROS		17 Igreja da	LARGO DA GRAÇA	
BICOS	●	13	GRAÇA	●	
House of	☐	3-16-24	Church	☐	10-11-28
Pointed Stones	■	—		■	
8 Igreja de	CAMPO DE STA. CLARA		18 Igreja de	LARGO DE S. VICENTE	
Sta. ENGRÁCIA	●	12	S. VICENTE	●	10-11-28
Church	☐		Church	☐	—
	■			■	
9 Aqueduto das	CAMPOLIDE		19 Ruínas do	LARGO DO CARMO	
ÁGUAS LIVRES	●	13-20	Convento do	●	—
Aqueduct	☐	—	CARMO	☐	24
	■	—	Convent Ruins	■	Rossio
10 Mosteiro dos	PRAÇA DO IMPÉRIO		20 Igreja da	RUA DA MADRE DE DEUS	
JERÓNIMOS	●	12-27-28-29-43	MADRE DE DEUS	●	13-18-42
Monastery	☐	15-16-17	CHURCH	☐	3-16-27
	■			■	

■ METRO - UNDERGROUND ● AUTOCARROS - BUS / ☐ ELÉCTRICO - TRAM

8.1 A Joana viu uns sapatos muito bonitos numa montra
e resolveu entrar na loja para os ver melhor... Não eram caros... só
custavam quatro contos e cem.

Joana: Boa tarde. Olhe, eu gostava de ver aqueles
sapatos que estão na montra, ali em baixo do
lado esquerdo...
 Emp.: Quais? Aqueles castanhos?
Joana: Não, os beges, que estão mesmo ao lado.
 Emp.: E qual é o número que a senhora calça?
Joana: É o 38.
 Emp.: E queria naquela cor?
Joana: Era a cor que eu gostava, de facto...
 Emp.: 38 em bege, tenho a impressão que não há.
Mas, só um bocadinho... eu vou ver.
(...)
Pois é, minha senhora. Aquele modelo, 38,
na cor que a senhora quer, não temos em
armazém.
Joana: Que pena... São muito bonitos... E que outras
cores é que tem?
 Emp.: De momento só há branco, vermelho e... azul
escuro.
Joana: Pois... o que eu queria era mesmo o bege...
Paciência! desculpe a maçada, sim?
 Emp.: De nada, minha senhora, sempre às ordens.

8.2 A Sílvia procura um casaco no roupeiro...
É um casaco que ela não veste há muito tempo...

Sílvia: Estou farta de procurar! Não faço ideia nenhuma
onde é que o casaco pode estar...

Rosa: O que é que estás à procura?

Sílvia: Estou à procura daquele casaco verde que já há muito tempo que não visto.

Rosa: Qual casaco? Não estou a ver!

Sílvia: Era um casaco curto, de malha... Eu costumava guardá-lo na última gaveta do roupeiro, mas não está lá...
Era óptimo agora para a Primavera!

Rosa: Não tenho ideia nenhuma desse casaco!

Sílvia: Olha, era um casaco que eu costumava vestir quase sempre com umas calças brancas... Tinha um tom de verde lindo e ficava-me tão bem!...

Rosa: Não, não me lembro... não tenho ideia!

Sílvia: Ah! Olha, está aqui...
Mas... está todo traçado! está todo cheio de buracos... Olha para isto...
Isto não estava assim!!!

8.3 A D. Maria Teresa e o marido receberam ontem um convite para uma festa muito elegante que se realiza na próxima semana no Casino. Mas...

M. T.: Alfredo, tenho um problema: não posso ir à festa do Casino!

Alfredo: Mas porquê?!

M. T.: Não tenho nada para vestir!

Alfredo: Oh! não pode ser... Não acredito...

M. T.: Lembras-te daquele vestido lilás com flores brancas que eu costumava usar quando havia recepções na Embaixada?

Alfredo: Sim... é um vestido muito bonito e fica-te muito bem!

M. T.: Ficava... ficava, é o que tu devias dizer!... porque já não fica... Está apertadíssimo... Não me serve...

Alfredo: E aquele branco, sem mangas, que costumas usar para casamentos e baptizados?

M. T.: Costumo? Não. Costumava... costumava... agora já não o posso vestir! Também já não me serve.

Alfredo: Isso só quer dizer que tu estás mais gorda do que estavas e tens que fazer dieta.

M. T.: E também quer dizer que preciso de dinheiro para comprar vestidos novos... Eu antigamente tinha mais roupa do que agora.

8.4 A sra. D. Amélia, a avó da Rita, gosta muito de contar histórias... e a Rita adora conversar com a avó...

Rita: Ó avó! gostava tanto de ouvir uma história...

Avó: Uma história... a esta hora? Sobre quê?

Rita: Sei lá!... qualquer coisa!
Por exemplo, o que é que a Avó fazia quando tinha a minha idade?

Avó: Eu com 10 anos? Ó minha querida!...
Que saudades!
Quando eu tinha a tua idade vivia no campo. Os meus pais tinham uma quinta muito grande e muito bonita... E eu gostava muito de correr atrás das galinhas, dos patos... enfim... Mas a minha mãe é que não gostava... porque eu ficava toda suja e quem tinha que lavar a roupa era ela... Antigamente não havia máquinas de lavar... Era preciso fazer tudo à mão. Era tudo muito diferente!...

Manifestando dúvida:

	Tenho (a)	impressão	que	[...]
	Tenho	ideia	que	
Não	tenho	ideia	nenhuma	de ...

Não estou a ver
Não me lembro

decepção:

Que pena!...

resignação:

Paciência!

e irritação:

Que chatice!

Ela/e está	farta/o	de procurar [o c...]

Exprimindo factos habituais:

(Eu)	COSTUMO	VESTIR	[o c...] Na primavera
(Eu)	COSTUMAVA	USAR	com as calças...

Reforçando uma ideia:

	Eu queria			o bege
O que	eu queria	era		o bege
O que	eu queria	era	mesmo	o bege

O casaco está		TODO		traçado sujo
		completamente		
Ela ficava		TODA		suja

Ela é que		tinha que lavar a roupa	
	Quem	tinha que lavar a roupa	era ela

Explicando:

```
Quer dizer que...
Quer dizer,...
Por exemplo,...
```

Comparando:

Estou	MAIS	gorda	DO QUE	estava
Tinha		roupa		agora

Acção passada, habitual ou repetida:

```
FICAVA-me    tão bem...
```

```
ERA um casaco  que eu  COSTUMAVA  vestir com ...
```

```
Os meus pais TINHAM   uma quinta
```
```
Eu GOSTAVA  de correr atrás das galinhas...
```

```
Antigamente não   HAVIA    máquinas de lavar roupa
```
```
ERA    tudo   muito   diferente
```

Expressões de tempo:

```
Há  muito  tempo  que ...
```
```
Antigamente
Dantes
Naquele tempo
Nessa altura
```

*Manuela
Tojal*

"Andar na moda é horrível"

Manuela Tojal fez um curso de estilismo há cerca de dez anos. Trabalhou em fábrica desenhando colecções (algumas premiadas) de moda industrial. Há quatro anos abriu uma loja — *"Traço Branco"* — na Foz, no Porto. A partir daí começou a criar roupa para ser vendida na loja: uma produção contínua, que chega a traduzir-se na criação de sete novos modelos por semana. *"O meu trabalho reflecte a minha experiência, as minhas paixões. Gosto muito, por exemplo, de pintura e escultura e isso tem influência no que crio. No fundo, através da roupa, crio, exprimo aquilo que sinto".*

Manuela Tojal diz não acreditar nas convencionais tendências da moda, mas antes nos sentimentos.

"Andar na moda é horrível", comenta-nos. *"Hoje as pessoas devem vestir aquilo de que gostam, as cores que têm a ver com elas. Parte-se cada vez mais para uma maior diversidade e liberdade em termos de moda".*

(Adaptado da Rev. *Mulheres 88*)

Nos anos 60 a nova moda feminina transformava-se, com um toque meio cigano e meio indiano.

Nos anos 50 o fato de saia e casaco Channel era um modelo clássico e requintado.

É ASSIM QUE EU QUERO

Eles recusaram o fato completo, sempre escuro, os sapatos engraxados e a gravata. Começaram a usar calças de ganga e sapatos de ténis. As camisolas de algodão ficaram das cores do arco-íris; passaram a chamar-se "T-shirts", camisolas em forma de T; enfeitaram-se com desenhos e emblemas.

Elas passaram também a usar calças e blusões, como os irmãos e os namorados.

Os mais velhos diziam: "Credo, nem se sabe se é rapaz se é rapariga"; mas foram-se habituando.

Camisolões, calças justinhas de ganga, quanto mais velhas melhor, brincos de fantasia, sapatos de salto raso.

Hoje eles e elas têm filhos de 15 anos que se vestem de outra maneira, e os rapazes voltam a usar o cabelo muito curto.

É assim que eles querem.

Nisto de modas o que vale é a mudança.

Adaptado de "Viva Voz" n.º 75

**9.1 Era proibido virar à direita, mas...
ele virou!
(rrrrriiiiiii... pppppppiiiiii)**

Polícia: Então o senhor não viu o sinal?
Condutor: Qual sinal?
Estava ali algum sinal?
Polícia: Estava pois.
O senhor é que passou e não o viu!
Condutor: Desculpe sr. guarda... Eu ia distraído...
Polícia: Os seus documentos, por favor.

**9.2 O miúdo ia a correr atrás da bola...
não viu o carro!
(iiinnn...)**

Condutor: Uff!... que susto!... Não bati no miúdo por um triz!
Peão: O senhor está bem?
Condutor: Eu? Não ganhei para o susto...
E o miúdo como é que está?
Peão: O miúdo desapareceu!
Também apanhou um belo susto,
com certeza.
Condutor: Ele ia a correr... nem me viu...
E eu ia distraído, só o vi quando
a bola passou na frente do carro...
Felizmente ainda tive tempo de travar!

9.3 **Eram 6 horas da tarde, hora de ponta!**
O autocarro estava completamente cheio...
Felizmente o Luís e o Paulo estavam
perto da porta e conseguiram sair...

Luís: Com licença... com licença... Uf!...
Que bom... Ar puro...
Estava a ver que não conseguia sair...

Paulo: É verdade! A certa altura pensei que
já não conseguia respirar... Apertaram-me tanto!...

Luís: Bom, para descontrair vamos beber uma
cervejinha.

Paulo: Boa...

(entram numa pequena cervejaria)

... Deixa-me pagar porque tenho que
trocar dinheiro.

(joga a mão ao bolso de trás das calças)

Luís: Está bem, obrigadinho.

Paulo: Espera... mas onde é que eu tenho a
carteira? Eu tinha-a no bolso de trás
das calças... e... não está cá...

Luís: Se calhar roubaram-te... no autocarro.

Paulo: Ai, não me digas isso.

Luís: Tinhas muito dinheiro?

Paulo: Tinha... tinha uns 10 contos... e "uma data de"
documentos... Era o Bilhete de Identidade,
a carta de condução, o cartão do Banco...
Que chatice!...

Luís: Deixa lá... pago eu as cervejas...

(joga a mão para tirar a carteira do bolso do blusão)

... mas... onde é que está a
minha carteira?

Paulo: Não me digas que o mesmo ladrão
roubou os dois.

**9.4 Alguém roubou o carro do sr. Antunes...
Por isso ele foi apresentar queixa na Polícia...**

Na esquadra da Polícia... depois de se identificar... de apresentar os documentos todos... e de preencher uma série de formulários..., o sr. Antunes pôde contar a sua história...

Polícia: Então conte lá o que aconteceu...

Sr. Ant.: Bom, sr. guarda... eu ontem cheguei a casa
por volta das onze e meia... meia-noite.

Ora eu costumo deixar o carro mesmo em frente da porta de casa, debaixo da luz do candeeiro... mas como não havia lugar lá... tive que o ir deixar mais adiante, num sítio sem luz nenhuma...

Hoje de manhã quando saí de casa... o carro não estava lá... Roubaram-no! Levaram-no... sei lá... Não sei quem foi mas alguém foi, com certeza... O carro não se ia embora sozinho... estava bem travado!

Polícia: O carro tinha alarme?

Sr. Ant.: Tinha. Tinha um alarme ultra-sensível... mas, devo confessar-lhe sr. guarda, acho que me esqueci de o ligar!

 9.5 O carro do Dr. Leitão era lindo... Foi uma pena quando o roubaram! Foi uma coincidência infeliz... O Dr. Leitão gostava muito do carro, e o ladrão também gostou (provavelmente foi por isso que o levou). Pelo menos é o que o Dr. Leitão pensa.

Quando o Dr. Leitão foi apresentar queixa na Polícia, já lá havia muita gente. E ele ainda ficou mais desesperado do que antes. Nunca mais ia conseguir localizar o seu querido carrinho!...

Esperou pela sua vez, com uma calma aparente. E foi com alguma irritação interior que finalmente entrou no gabinete do agente... mas nesse momento exacto lembrou-se:

"Ninguém me roubou o carro! Eu é que o deixei na garagem ontem à tarde para a revisão dos 10 000 quilómetros!...
Ai! que cabeça a minha!..."

Quantificando de forma indefinida:

Tinha	UNS UMA DATA DE	1Ø contos documentos

Qualificando de forma indefinida:

Esperou com	UMA calma aparente UMA CERTA calma ALGUMA irritação

Confirmando um facto:

Estava   pois
É verdade

Admitindo um facto:

Devo confessar que ...

Manifestando surpresa:

Não me digas!
Espera! Onde é que está...?

e indefinição:

ALGUÉM   roubou
ROUBARAM-me APERTARAM-me tanto...

Descrevendo um local:

Eu deixei o carro num sítio	SEM	luz	NENHUMA	
	COM		POUCA ALGUMA MUITA	luz

Expressando uma finalidade:

Deixei o carro PARA eles   FAZEREM a revisão

Descrevendo duas acções simultâneas, no passado:

Eu	IA	distraído	não	VI	o sinal
Ele	IA	a correr	não	VIU	o carro

Quando CHEGUEI	não HAVIA lugar
A certa altura PENSEI	que não CONSEGUIA...

O carro TINHA alarme mas eu ESQUECI-me de o ligar

PERDIGUEIRO PROVOCOU ACIDENTE NA 2.ª CIRCULAR

Um cão perdigueiro que passeava pela 2.ª Circular — à saída de Lisboa — foi a causa de um acidente que ocorreu ontem ao fim da tarde envolvendo duas viaturas ligeiras e uma carrinha "Toyota".

Do desastre há a registar um ferido ligeiro que, de imediato, foi conduzido ao hospital. Trata-se de José Campos Paiva que ia a conduzir a carrinha. A seu lado, encontrava-se Fernando Jesus da Costa, que saiu ileso.

"O meu colega viu o cão e tentou desviar o carro. Quando dei por mim, já estávamos de pernas para o ar" — explicou Fernando de Jesus da Costa, pouco depois de o acidente se ter verificado, apresentando, por isto mesmo, ainda um certo nervosismo.

Ao tentar salvar o animal, José dos Campos Paiva embateu num "Opel Corsa", em que viajavam três jovens. Continuando a sua trajectória pela 2.ª Circular, o cão perdigueiro acabou por ser atropelado por um "Opel Kadett", conduzido por Manuel António Caneças, que "não ganhou para o susto".

"Correio da Manhã", Agosto 88

Quem ficou sem o fio e o relógio?

A Polícia Judiciária procura identificar uma senhora (de 50/60 anos) que, em 4 de Abril último foi assaltada por "esticão", na Avenida Guerra Junqueiro, ficando sem um fio de ouro e um relógio.

A PJ (6.ª Secção da 3.ª Brigada) está na posse dos objectos. Apesar das diligências efectuadas não conseguiu identificar a senhora. Sabe-se que o gatuno é de raça negra, magro, aparenta ter 20 anos e tem cerca de 1,80 m de altura.

"Diário Popular", Agosto 88

Se não precisa de cheques, cartões de crédito ou outros documentos deixe-os ficar em casa. Poderá evitar uma utilização indevida em caso de assalto.

Não use anéis, pulseiras, cordões ou relógios valiosos. Deixe-os ficar em lugar seguro.

Não use no carro qualquer sistema especial de defesa. Está provado que usar uma arma pode tornar mais violento o assaltante.

MINISTÉRIO DA ADMINISTRAÇÃO INTERNA

POLÍCIA DE SEGURANÇA PÚBLICA
COMANDO DISTRITAL DE LISBOA

O R I G E M	N.º de Registo
...º DIVISÃO	
...ª Esq.ª ou Posto	
Serviço :	

AUTO DE DENÚNCIA

No dia .... vinte e dois .... do mês de .... Setembro .... de mil
novecentos noventa e .... dois .... pelas .... onze horas e cinquenta minutos ....
na .... Secção de Turismo ....
foi apresentada queixa (denúncia) por (a): .... cidadã portuguesa TERESA TORRES CORREIA
DA SILVA, nascida a 13/04/ 1935, casada, doméstica, residente em Castelo Branco,
de passagem por Lisboa,

que acusa (b): .... dois indivíduos, jovens, do sexo masculino, que se faziam transportar numa motorizada, cuja matrícula não viu e cujos nomes e moradas desco-
nhece,

da prática dos seguintes factos: .... ontem, pelas vinte horas, na Av. Sidónio Pais, em
Lisboa, lhe terem furtado, por meio de esticão, a sua mala em pele branca, que
continha cinquenta mil escudos em dinheiro, uns brincos em ouro amarelo, uma máquina fotográfica KodaK 12 , um pente, um leque, uma toalha pequena, um relógio
de pulso Longinés, artigos que avaliou em cerca de noventa mil escudos, e ainda
o seu Bilhete de Identidade.

PSP — Mod. 437-60.000 ex. - 1-89

(a) Identidade do queixoso ou denunciante.
(b) Identidade do denunciado.

— O queixoso (denunciante), pode declarar na denúncia que deseja constituir-se assistente. Se o procedimento depender de acusação particular, a declaração é obrigatória.

O AGENTE

Nome ....

Posto .... da ....

O QUEIXOSO / DENUNCIANTE

A Marta e o João continuam entusiasmadíssimos!...
Meteram na cabeça que iam mostrar Portugal à Lisa!...

(Numa esplanada do Rossio)

Marta: João, não achas que devíamos mostrar outras regiões de Portugal à Lisa?

João: Devíamos, não. Devemos. Ou melhor, temos que mostrar! Temos que sair de Lisboa e ir ver este cantinho da Europa porque vale mesmo a pena!

Marta: Achas que o teu pai te empresta o carro?

João: Acho que sim. ainda não lhe pedi, mas ele não se vai importar, com certeza.

Marta: Então amanhã podíamos ir a Sintra, não?

João: Óptima ideia! Podíamos sair de manhãzinha e fazíamos a volta toda... víamos os Palácios e o Castelo...

Marta: Comíamos queijadas e travesseiros...

João: Tu só pensas em comer!... E era óptimo irmos ao Cabo da Roca... A Lisa recebia o Certificado...

Lisa: Certificado...? de quê?

João: É um papel muito bonito que serve para provar que a Lisa esteve no ponto mais ocidental da Europa!

Lisa: Mas que coisa engraçada... eu só não sei se o tempo vai dar!...

João: Dá perfeitamente... só temos que sair cedo!

No fim-de-semana a Marta e o João
levaram a Lisa a Évora,
que fica a cerca de 150 Km de Lisboa.

Évora é uma cidade muito antiga,
também lhe chamam a "Cidade Museu".

Foram ver a Sé (construída no séc. XIII)
o Templo de Diana (um templo romano
que data dos princípios do séc. III)

Ainda tiveram tempo para ir a Arraiolos, onde se fazem uns tapetes completamente bordados
à mão... e viram algumas pessoas que
estavam a fazer tapetes...

E o tempo passava rapidamente...

Combinaram ir ao Norte durante a semana...

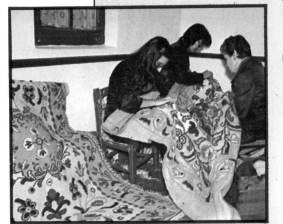

No Porto, viram alguns barcos Rabelos
que estavam no Rio...

Estes barcos serviam antigamente para transportar o Vinho, pelo Rio
Douro abaixo, até ao Porto.
É daí que o Vinho do Porto ainda hoje sai para toda a parte...

Um pouco mais a Norte,
perto de Viana do Castelo,
viram que havia festa
e por isso, em vez de regressarem a Lisboa na 6.ª,
ficaram lá todo o fim-de-semana...

e só voltaram mesmo no Domingo à noite...

A festa era muito bonita...

Era uma Romaria, uma festa onde se junta a religiosidade e a alegria popular.

Algumas pessoas tinham fatos típicos,
vestiam-se como antigamente:

Os homens usavam fatos pretos...
As mulheres tinham saias e blusas muito coloridas e lenços
igualmente alegres na cabeça.
Algumas delas tinham muitos cordões de ouro ao pescoço...
Era uma tradição para os domingos e dias de festa...

Como o tempo estava bonito
ainda conseguiram ir ao Algarve...

Viram algumas praias, tomaram alguns
banhos no mar, mas a água estava
um bocadinho fria...

Antes de voltarem a Lisboa, foram ver um espectáculo de música folclórica e no final a Lisa não resistiu e foi comprar um disco com o "Corridinho", que é uma música com um ritmo muito rápido; só que ela não percebeu

como é que as pessoas conseguem dançar tão depressa...

De regresso a Lisboa:

João: Lisa, tenho pena de não podermos mostrar os
Açores e a Madeira...
São dois arquipélagos lindos... mas ficam mais
longe... já não temos tempo para ir lá...
Marta: Não faz mal. Nós depois escrevemos postais...
Lisa: Vocês não imaginam como foi bom tudo isto...
Eu vou sentir muitas saudades... de vocês...
e de Portugal também...
todos foram tão simpáticos comigo... que já
prometi a mim mesma... eu vou voltar!

A

Abaixo
Abrir
Acabar
Acaso
    por acaso
Achar
    acho que...
Acontecer
Acordo
    de acordo
Acreditar
Administrador
Administrativo
Adorar
Aeroporto
Agência
Agenda
Agente
Agora
Agradável
Agradecer
Água

Aí
Ainda
    ainda bem
    ainda não
Ajuda
Alarme
Alegre
Alegria
Além
    além de
    além disso
Alguém
Algum
Alguma
Ali
Almoçar
Alto
Altura
    a certa altura
Amanhã
Ambiente
Amigo
Andar
Ano
Antes
    antes de
Antigamente
Antigo
Aonde
Apanhar
Aparecer
Aparente
Aperitivo
Apertado
Apertar
Apetecer
Apresentar
Aqui
Ar
Armazém
Arquipélago
Arquitecto
Arquitectura
Arranjar
Assim
Até
    até a
    até que
    até logo
Ataque
Atrás
Autêntico
Autocarro
Automobilismo
Avenida

Azar
    (dia de azar)

B

Bacalhau
Bairro
Baixo
    (lá) em baixo
    por baixo
Banco
Banho
Baptizado
Barato
Barco
Barulho
Bar
Bater
Beber
Belo
Bem
    bem-disposto
Bem *(bordão)*
Biblioteca
Bica *(bebida)*
Bicha
Bifana
Bilhete
Blusa
Blusão
Bocadinho
    (só) um bocadinho
Bocado
    um bocado
Bola
Boleia
Bolo
Bolso
Bom
Bombeiro
Bonito
Bordado
Buraco
Buscar
    ir buscar
    vir buscar

C

Cabeça
Cabeleireiro
Cabelo
Cabelos
Cada
    cada vez mais
    cada um
Café
Calçar
Calças
Calendário
Calhar
    se calhar
Calma *(sub.)*
Calmo
Campo
Canção
Candeeiro
Caneta
Canto
Caro
Carro
Cartão
Carta
Carteira
Casa

    em casa
Casaco
Casamento
Casino

Caso
    caso contrário
    nesse caso
Castelo

Cedo
Cem
Cento
    um cento
    cento e...
Centro
Cerca
    cerca de
Certa
    a certa altura
Certeza
    com certeza
Certificado
Cerveja
Cervejaria
Chá
Chamar
Chatice *(fam.)*
Chegar
Cheio
Chover
Cidade
Cima *(elem.adv. de loc.)*
    em cima (de)
Cinema
Claro
Cliente
Coincidência
Coisa
Colega
Colina
Colorido
Com
Comércio
Combinado
    está combinado
Combinar
Comboio
Começar
Comer
Comida
Como
    assim como
Companhia
Completo
Comprar
Condução
Condutor
Conduzir
Confessar
Confundir
Confusão
Conhecer
Conquista
Conseguir
Construir
Conta
Contar
Continuar
Contos *(s)*
Contrário
    caso contrário
Convencer
Conversar
Convidar
Convite
Copo
Cor
Cordão
Correio
Correr
Corridinho
Costumar
Creme
Crer
    creio
Cumprimentar
Custar
Curso
Curto

D

Dançar
Dar
  dar boleia
  dar tempo
  dar licença
  dar confusão
Data
  uma data de(fam.)
Debaixo
  debaixo de
Deixar
  deixa ver
  deixa lá
Demais
Demasiado
Demora
Demorar
Depois
  depois de
Depressa
Desaparecer
Descer
Descobrir
Descontrair
Desculpa
  pedir desculpa
Desculpar
  desculpe
Desde
Desejar
Desesperado
Desportivo
Dever
Dia
  um dia destes
  no dia-a-dia
Diante
  mais a diante
Dieta
Diferente
Dificuldade
Dinheiro
Direcção
Directo
Director
Direita
  à direita
Direito
  a direito
Dirigir(-se)
Disco
Discoteca
Distância
Distraído
Dividir
  a dividir por
Dizer
Documento
Domingo
Dona
  Sr.ª D.ª Ana
Doutor
  Sr. Dr.
Durante
Dúvida
  não há dúvida
  sem dúvida

E

Eléctrico
Elegante
Embaixada
Embora
  Ir-se embora
Empregado
Emprestar
Encanto
Encontrar

Encontro
Encostar
Enfermeiro
Enfim
Enganar-se
Engenharia
Engenheiro
Engraçado
Enorme
Então
Entrar
Entrevista
Entusiasmado
Escrever
Entusiasmo
Escritório
Escudo(s) *(unidade monetária)*
Escuro
Especial
  nada de especial
Espectáculo
Esperar
Esplanada
Esquadra
Esquecer(-se)
  esquercer-se de
Esquerdo
Estação
Estar
  está combinado
  está na hora
  estar com sede
  estar de acordo
  estou a ver!
Estrangeiro
Estudante
Exacto
Exemplo
  por exemplo
Existir
Experiência

F

Fábrica
Facto
  de facto
Fado
Falar
Faltar
Família
Familiar
Fartar
  estar farto (de)
Favor
  por favor
  faça favor
  (se) faz favor
Fazer
  não faz mal
Feijoada
Feio
Feira
Férias
Feliz
Festa
Ficar
Filme
Fim
  fim-de-semana
Final
Finalista
Flor
Folclórico
Fome
Fora
Formulário
Fotografia
Frente
Frequente
Fresco

Frio
Fundo
Fúria
Furioso
Futebol

G

Gás
Gabinete
Galão
Galinha
Ganhar
  não ganhar para o susto
Garagem
Gaveta
Gelado
Gente
  muita gente
Gerente
Giro
Gordo
Gostar
  gostar de
Gosto
  (com) muito gosto
Grande
Guarda
Guarda-chuva
Guardar
Guerra
Guia
Guiché

H

Haver
História
Hoje
Homem
Horário
Hora
  está na hora
  hora de ponta
Horrível
Horror
  que horror!
Hospital

I

Ida
  ida e volta
Idade
Ideia
  boa ideia
Identidade
Identificar
Igualmente
Ilustre
Imaginar
Imenso
Imperial
Importância
  não têm importância
Importar(-se)
Não me importo
Impressão
Inesperado
Infeliz
Informações
Interior
Ir
  ir de carro
  ir a pé
  ir-se embora
Irritação
Isso
  além disso
  por isso
  isso mesmo

85

J

Já
Janela
Jantar
Jogar
Jornal
Jornalista
Juntar
Junto

L

Lado
   ao lado (de)
   de lado de
   do lado (esquerdo)
Ladrão
Laranja
Largo
Lavar
Leitão
Leite
Lembrar(-se)
   lembrar-se de
Lenço
Ler
Levantar
Levar
Leve
Liberdade
Licença
   com licença
   dar licença
Ligação
Ligar
Lindo
Localizar
Logo
   até logo
Loja
Longe
   longe de
Lugar
Luz

M

Maçada
Madrugada
Mais
   mais ou menos
Mala
Malha
Mandar
Manga
Manhã
   de manhã
Mão
Máquina
Mar
Maravilhoso
Marido
Material
Mau
   nem bom nem mau
Médico
Meia
Meia-noite
Meio
Meio-dia
Melhor
Menino
Menos
   mais ou menos
   pelo menos
Mês
Mesa
Mesmo
Meter
Metro

Miúdo
Ministério
Minuto
   é só um minuto
Mista
Modelo
Moderno
Molhado
Momento
   de momento
   nesse momento
Montra
Morada
Morar
   morar em
Moreno
Mostrar
Motorista
Muita
   muitas vezes
Muito
Mulher
Mundial
Museu
Música

N

Não
   não é
   ainda não
   já não
Nacional
Nada
   de nada
   nada de especial
Natural
Nem
   nem bom nem mau
Noite
   à noite
Nome
Norte
Novo
Número
Nunca

O

O
Obrigado
Obrigadinho *(fam.)*
Ocidental
Olhar
   olha
   olhe
Óptimo
Ordem
Ouro
Outra
   outra vez
   outras vezes
Outro
   ...por outro lado
Ouvir

P

Pá *(fam.)*
Página
Paciência
Pagar
Pago
Palácio
Papel
Para
Paragem
Parar
Parecer
   que te parece?

Parte
   por toda a parte
Passar
Passarinho
Passear
Passo
Pastel
Pastelaria
Pato
Património
Pé
Peão
Pedir
Pena
   vale a pena
Pensar
Pequeno
Perceber
Perder
Perfeito
Pergunta
Perguntar
Pertencer
Perto
   perto de
Pesado
Pescoço
Pessoa
   as pessoas
   uma pessoa
Petróleo
Pingar
Pior
Pobre
Poder
Pois
   pois é
Polícia
Ponta
   hora de ponta
Ponto
   em ponto
Popular
Pôr
Porque
Porquê
Pormenor
Porta
Porto
Possível
   é possível
Postal
Pouco
   um pouco
Prédio
Prático
Próprio
Próximo
Praça
Praia
Prato
Prazer
   muito prazer
   é um prazer
Precisar
   precisar de
Preencher
Preferir
Prego
Primeiro
Principal
Problema
Procura
Procurar
Programa
Proibido
Prometer
Pronto
Propósito
   a propósito (de)

Provar
Provável
Psicologia
Puro

Q

Qual
Qualquer
Quando (conj.)
Quando (int.)
Quanto
Quarto
Quase
Que
  o que... ?
  o que
  que tal?
  que bom
  que sorte
  que chatice (fam.)
Quê
Quem
Queijada
Queijo
Queixar
Querer
Querido
Quilómetro
Quinta
Quiosque

R

Rádio
Rápido
Rapariga
Rapaz
Rapidamente
Razão
Realizar
Receber
Recepção
Reconhecer
Região
Regressar
Regresso
Relógio
Relatório
Religiosidade
Repente
  de repente
Representante
Reprodução
Rés-do-chão
Resistir
Resolver
Respirar
Restaurante
Reunião
Revisão
Rio
Rir
Ritmo
Romano
Romaria
Rossio
Roubar
Roupa
Roupeiro
Rua

S

Saber
  sei lá
  não sabia!
Saia

Saída
Sair
Sala
Salada
Sapatos
Saudades
  sentir saudades
  ter saudades
Se
Sé
Secretária
Século
Seguinte
Seguro
Sem
Semana
Sempre
Senhor
Senhora
Sentar
Sentir
  sentir saudades
Separado
Ser
  pois é
  é verdade
Série
  uma série de
Sério
  a sério
Serviço
Servir
Sétimo
Sim
Simpático
Sinal
Sirene
Sítio
Só
  não só
Sobre
Sociologia
Sol
Sorte
Sozinho
Suave
Subir
Sujo
Sumo
Susto
  não ganhar para o susto

T

Tal
  que tal?
Talvez
Também
  também não
Tanto
  tanto faz
Tão
Tapete
Tarde
  à tarde
Tasquinha
Taxi
Teatro
Telefonar
Telefone
Televisão
Templo
Tempo
  ao mesmo tempo
  ter tempo
Ténis
Tentar
Ter
  ter a certeza que
  ter a impressão que

  ter pena de
  ter de
  ter que
  ter saudades
Típico
Tirar
Toca
Todo
Tom
Tomar
Torrada
Torre
Tosta
Traçado
Trabalhar
Trabalho
Tradição
Tranquilo
Transportar
Trás
  de trás
Tratar
Travado
Travar
Travesseiro
Trazer
Triste
Triz
  por um triz
Trocar
Troco

U

Último
Ultra-sensível
Universidade
Usar

V

Valer
  vale a pena
Vender
Ver
  estás tu a ver!
  vais ver
Verdade
  é verdade
Vestido
Vestir
Vez (es)
  em vez de
  muitas vezes
Viagem
Vila
Vinho
Vir
Virar
Visitante
Visto
Viva
Viver
Vivo
Vizinho
Volta
  dar uma volta
  por volta de
Voltar
Vontade
  ter vontade de
  à vontade
Voz

Z

Zona

11.1 O Mário procurou nos livros de receitas, que havia lá em casa, um prato simples para o almoço...
Era uma surpresa que ele queria fazer à mulher...

Depois de ler e rejeitar algumas sugestões, descobriu uma receita que lhe agradou bastante: arroz de polvo. Não era complicada de fazer e, por acaso, tinha todos os ingredientes em casa. A receita era a seguinte:

1 polvo com cerca de 1 kg.
2 dl. de vinho tinto
1 cebola média
2 dentes de alho
1/2 kg de tomates (ou 2 colheres de sopa de polpa de tomate)
1 pimento
400 gr. de arroz
1,5 dl. de azeite
pimenta e piripiri, q.b.

1. Coza o polvo no vinho tinto durante cerca de 20 minutos.
2. À parte, faça um refogado: pique a cebola, os alhos, o pimento, o tomate (sem pele nem grainha) e a salsa; frite tudo no azeite deixando apurar bem;
3. Retire o líquido em que o polvo cozeu e junte água até fazer um litro;
4. Deite todo o líquido no preparado anterior e deixe ferver;
5. Junte o arroz e o polvo cortado; deixe cozer em lume brando.

Foi isto que o Mário leu e que depois tentou fazer!
Sim, tentou! Porque no fim ninguém conseguiu comer!
O arroz estava transformado em "massapão"... e além disso ele esqueceu-se do sal! A receita não dizia para pôr... e ele... não pôs!

11.2 O Pedro e o Miguel são irmãos gémeos e fazem anos hoje. Alguns amigos resolveram preparar-lhes uma surpresa. Uns fizeram o bolo e os outros levaram o champanhe...

Ana: Pronto. Já está tudo na mesa... acho que não falta nada, pois não?

Zé: Parece que está tudo em ordem... As prendas estão aqui. É uma caixa de bombons para cada um.

António: Vocês não façam barulho agora. Eles devem estar a chegar e não podem ouvir nada... senão desconfiam... Eh pá! fechem a porta... não falem!...

Marta: Ó Paulo e Zé... calem-se... não digam nada! Não se mexam... Eles não podem ouvir barulho nenhum senão a surpresa não tem graça.

Ana: Eles vêm aí... apaguem a luz!

(O Paulo e o Miguel abrem a porta)

Todos: Parabéns a você
Nesta data querida
Muitas felicidades
Muitos anos de vida...

VIVAM O PEDRO E O MIGUEL
E QUE SEJAM MUITO FELIZES.
MUITOS PARABÉNS.

11.3 A Isabel e a Luísa há já algum tempo que não se viam. Foi uma surpresa quando se encontraram ontem na festa do Jaime.

I.: Ó Luísa, estás com um óptimo aspecto... estás muito mais magra!

L.: Achas?

I.: O que é que tu fizeste? Eu também precisava de emagrecer, mas não consigo!

L.: Ora! Claro que consegues. Só tens que ver o que comes!

I.: Mas tu sabes que eu detesto cozinhar! Detesto mesmo!

L.: Mas não precisas de cozinhar nada de complicado! Só tens que ter um pouco de imaginação: olha, por exemplo, faz saladas, grelha um bife, coze peixe, com cenoura, feijão verde, sei lá... vai fazendo coisas diferentes ao longo da semana...

I.: Pois é, mas tu sabes perfeitamente que eu não tenho paciência para isso...

L.: Então come um iogurte de vez em quando... faz ginástica, sei lá... Há tanta coisa que tu podes fazer, e nem sequer dá trabalho!...

I.: É possível que sim... Até pode ser que dê resultado! Mas onde é que estão os molhinhos, as batatas fritas, os docinhos...?

Exprimindo uma consequência:

Não falem Eles não podem ouvir barulho	SENÃO CASO CONTRÁRIO	eles ouvem não há surpresa

ou uma dúvida:

TALVEZ	SEJA bom DÊ resultado

ou um desejo:

QUE	SEJAM felizes VIVAM muitos anos

ou uma probabilidade:

Eles DEVEM ESTAR A CHEGAR

Pedindo uma confirmação:

Não falta nada, POIS NÃO?

Confirmando:

CLARO QUE consegues

Concordando/Discordando, sem convicção:

POIS É, mas...	
Até	É POSSÍVEL QUE PODE SER QUE	sim... não...

Complementando...

Está TUDO na mesa Calem-se	Não falta NADA Não digam NADA

Quantificando:

Agradou BASTANTE IMENSO MUITO	NÃO agradou MUITO NÃO agradou NADA agradou POUCO

Dando conselhos:

COZA o polvo JUNTE o arroz
FAZ saladas COME iogurte

e ordens:

Não FAÇAM barulho
CALEM-SE

Exprimindo uma acção progressiva:

Vai	MUDANDO BEBENDO
Vá	DISTRIBUINDO

ARROZ DOCE

TEMPO DE PREPARAÇÃO:
10 min.
TEMPO DE COZEDURA: 20
min.

INGREDIENTES:
125 g de arroz
1 colher (de sopa) de manteiga
150 g de açúcar
7,5 dl de leite
3 gemas
1 colher (de sobremesa) de água de flor de laranjeira
1 casca de limão
Sal
Canela em pó e em pau

Leve ao lume um tacho com água abundante temperada com sal. Quando a água ferver em cachão, junte-lhe o arroz. Assim que a água retomar a fervura, deixe cozer o arroz durante 2 minutos. Entretanto, leve o leite a ferver com a casca de limão e o pau de canela. Escorra o arroz muito bem e mergulhe-o no leite a ferver. Deixe cozer destapado sobre lume brando. Retire do lume adicione a água de flor de laranjeira e o açúcar. Mexa rapidamente e junte finalmente as gemas e a manteiga. Coloque o arroz sobre lume muito brando, durante uns minutos, sem deixar ferver.
Deite o arroz em pratinhos e enfeite com canela em pó.

Rabanadas com calda de açúcar

TEMPO DE PREPARAÇÃO:
10 min.
TEMPO DE COZEDURA: 15
min.
INGREDIENTES:
8 fatias de pão de forma
Leite
Ovos
300 g de açúcar
Vinho do Porto
Canela

Corte o pão em fatias, passe-as por leite e, em seguida, por ovos batidos. Frite as fatias em grande fritura e escorra-as sobre papel absorvente. Coloque-as na travessa onde irão ser servidas e regue-as com uma calda fraca feita com açúcar e água aromatizada com vinho do Porto. Polvilhe com canela.

"Viva Voz" n.º 30

ALIMENTAÇÃO

ENCHER A BARRIGA NÃO É COMER BEM

O grupo de leite é indispensável para que o organismo receba cálcio (sem cálcio não há dentes saudáveis) e proteínas. O leite pode ser misturado com café, cevada e outros produtos, ou utilizado para preparar cozinhados ou produzir derivados (queijo e iogurte) sem perder o seu valor alimentar.

Outra fatia da roda dos alimentos é constituída pelo grupo de hortaliças, dos legumes e frutas. Todas as hortaliças devem entrar na nossa alimentação embora as mais ricas sejam as verdes, como a couve galega, a nabiça, a alface e os agriões. Devem usar-se os legumes da época que são mais baratos e tão bons como os outros. O melhor é utilizar hortaliças e legumes em sopas ou outros cozinhados em que toda a água se aproveite pois nela vai a melhor parte dos sais minerais e vitaminas que elas possuem. A fruta não deve faltar.

Os cereais são dos mais saudáveis fornecedores de energia, e são também os melhores quanto menos embranquecidos forem (é por isso que o melhor pão é o mais escuro, sobretudo o de mistura). As leguminosas (feijão, grão, ervilhas, favas) podem ser utilizadas em pequenas porções diárias. As gorduras como os óleos de girassol, de milho e de soja, o azeite, a manteiga, a banha e as margarinas devem ser consumidas em pequenas quantidades.

"Viva Voz" n.º 10

ERRADO

Depois das horas de fome, ele "atira-se" ao "bom bife com batatas fritas".
Tanto pior para quem quer manter o peso.

PEQUENO-ALMOÇO

Café forte, com açúcar + pão + manteiga + compota.
(Erro: refeição demasiado ligeira, sem leite)

10 HORAS

Um chocolate com leite quente, para satisfazer as carências deixadas pelo
pequeno-almoço.

ALMOÇO

300 gramas de carne + 50 gramas de pão (três fatias) + um prato de
batatas fritas + dois copos de vinho
(Erro: demasiada gordura e falta de frutas e legumes; digestão
difícil com a consequente sensação de cansaço

JANTAR

Legumes cozidos ou salada + omeleta com dois ou três ovos + uma
ou duas
fatias de queijo + 80 gramas de pão.
(Erro: demasiada gordura; este tipo de alimentação traz maiores
riscos de
aumento de peso e de perturbações metabólicas
subida da taxa de colesterol, por exemplo)

CORRECTO

O excesso (inútil) de proteínas e de matérias gordas é evitado.

PEQUENO-ALMOÇO

200 gramas de leite meio-gordo + café ou chá + açúcar
+ 80 gramas de pão +
150 gramas de manteiga + 20 gramas de compota ou mel.

ALMOÇO

Um bife pequeno + 200 gramas de legumes verdes
ou 150 gramas de batatas cozidas
+ salada + fruta (uma maçã grande)
+ 100 gramas de pão

JANTAR

Creme de legumes ou salada (150 gramas) + omeleta
(um ovo médio ou dois pequenos) + 200 gramas de
legumes verdes ou arroz + um pequeno pedaço de queijo
+ 80 gramas de pão + um fruto de 150 gramas.

O equilíbrio entre os prótidos, lípidos e glúcidos é atingido
e a distribuição dos alimentos ao longo do dia assegura
uma quantidade ideal de energia.

É difícil mas não é impossível

... 43 anos, casada, mãe de dois filhos. Tenho 1 metro e 55 de altura, 68 quilos de peso. Tentei, e continuo a tentar, várias dietas e...nada!
Quanto ao vestir que cores me aconselha?

Suzana G. Costa
Grândola

Emagrecer é sempre uma tarefa complicada, que requer muita força de vontade e muita paciência. E o processo torna-se um pouco mais difícil quando se ultrapassa os 30 anos.
Mas não desanime. É difícil mas não é impossível. É importante que seja persistente e rigorosa no seu tratamento. Sem interrupções e sem condescender a este ou àquele alimento não incluído na sua dieta.

Emagrecer é um processo lento e cuidado.
E por isso é importante consultarmos um médico especialista.
Iniciada a dieta, é importante que apoie o seu corpo com um tratamento adequado. Depois dos 30 anos, a elasticidade dos tecidos é diferente e a recuperação é mais lenta que aos 20 anos.
Deve acompanhar o seu processo de emagrecimento com ginástica de manutenção pelo menos duas vezes por semana. E não deixe de a fazer mesmo depois de ter atingido o seu peso ideal.
Sobre o vestuário, sendo morena, a escolha das cores é sempre muito vasta. Os tons luminosos são os que lhe ficam melhor. Evite as cores próximas do seu tom de pele — amarelo-torrado, beges escuros, castanhos e mel. Sozinhos não a vão favorecer. Mas se os misturar com preto já resultam. Os tons pastel — pérola, salmão, verde-água, etc. — são lindíssimos e eternamente clássicos. Use e abuse! Mais difícil é escolher os padrões. Evite as riscas horizontais, as barras e os grandes estampados. Além de «engordarem» cansam rapidamente. Para a tornar mais esguia, procure risquinhas (sempre ao alto), estampados muito miudinhos e dê preferência a cores lisas.

Adaptado do "Jornal Ilustrado", 12/2/88.
"Yolanda responde às leitoras."

12.1 O Ricardo e a Teresa são colegas de curso...

Ricardo: Ó Teresa, viste por acaso o Miguel ou o Tiago?
Teresa: Não. Olha que já há muito tempo que não os vejo...
Dantes via-os muitas vezes no Hipódromo, quando
ia andar a cavalo... mas ultimamente não os tenho
encontrado lá.
Ricardo: Eu encontrei o Tiago ontem e soube que o Fernando tem estado
adoentado...
Teresa: Ah sim? Não sabia... Com quê?
Ricardo: Parece que o médico desconfia de uma hepatite,
mas ele ainda não tinha a certeza. Devia saber
hoje o resultado da análise...
Teresa: Coitado! Vou telefonar-lhe esta noite para saber
se está melhor. Eu tenho andado com tanta coisa
para fazer que não tenho tido tempo para falar com ninguém nem
para telefonar a ninguém...
Ricardo: Está bem. Telefona-lhe e depois diz-me qualquer coisa. Espero que
não seja nada de grave...
Teresa: Também eu.

 12.2 O Sr. Santos encontrou na rua, por acaso, o Dr. Campos que é seu médico já há muitos anos...

S.: Bom dia sr. Doutor, como tem passado?

Dr.: Oh!! Sr. Santos, como está? Tem passado melhor desde a última vez que o vi?

S.: Sim, sim. Eu estou óptimo, nunca mais senti nada.
Agora a minha mulher é que não tem andado nada bem!

Dr.: Ah sim? A D. Clotilde está doente? Não me diga! É uma pessoa tão forte, tão saudável!

S.: É verdade sr. Dr.; foi de repente; começou a emagrecer
... a emagrecer... começou a sentir cada vez mais falta de forças... e ultimamente até tem tido dificuldade em andar!...

Dr.: Então porque é que ainda não a levou ao meu consultório?
Já lá devia ter ido...

S.: Ora... o sr. Dr. sabe como é a minha mulher! Pode estar a morrer que nunca acredita que está doente!
Além disso as consultas estão muito demoradas! Leva-se mais de um mês à espera...

Dr.: Ó homem! apareça lá no meu consultório num dia qualquer desta semana e leve a sua mulher. Eu quero vê-la. Não marque consulta, não é preciso... Diga só à minha empregada que falou comigo.

12.3 O Costa tem andado adoentado e foi ao médico.
Quando este lhe perguntou o que é que ele sentia
ele contou... Explicou que tem andado, de há algum
tempo para cá, com uma sensação de peso no
estômago... e também nas costas... às vezes nem
se consegue dobrar! e gestos simples como sentar ou levantar já não são
tão fáceis como eram!

Médico: Bem, o senhor está bastante forte... à primeira vista
    parece estar muito gordo para a sua idade e para a sua
    altura.
    Devia perder uns quantos quilos...
    O senhor tem... quê? 1,75m de altura, não?

Costa: 1,77...

Médico: E sabe quanto pesa?

Costa: Não faço ideia nenhuma, sr. doutor.

Médico: Então suba para esta balança, se faz favor.
    Vamos lá ver o seu peso...
    O quê... 91 Kg? O senhor não devia pesar mais de 73, 74 no máximo!
    Isto quer dizer que o senhor não tem tido cuidado com o que come.
    Tem que começar uma dieta a partir de hoje;
    só cozidos e grelhados com legumes e saladas...
    e em pouca quantidade...

Costa: Dieta sr. Doutor? Eu preciso muito de comer! Eu
    trabalho!

Médico: Tenha calma!... Ninguém lhe vai tirar a
    comida! Fazer dieta não quer dizer passar fome...
    Reduza só o que o faz engordar: o açúcar, a farinha,
    as gorduras e o álcool!

Costa: Bom: resumindo e concluindo tenho que cortar com
    tudo o que eu gosto!...

Médico: Pois é, o senhor nunca devia ter engordado dessa maneira! Faça
    também um pouco de desporto... Pratique ginástica,
    ténis, sei lá... qualquer actividade física é boa.
    Vai ver que se vai sentir muito melhor!...

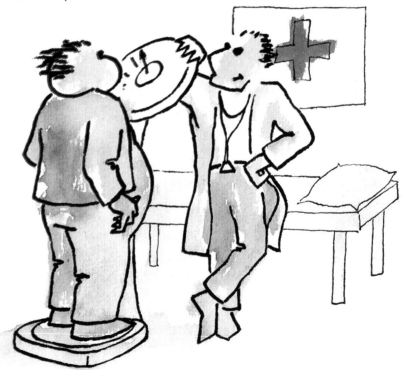

Exprimindo consequência:

Tenho andado com...			
...TANTA COISA ...TANTO	para fazer	QUE	não tenho tido tempo
...TÃO POUCA COISA ...TÃO POUCO			

Manifestando desconhecimento:

Não	sabia!		
Não fazia	a mínima	ideia!	
		ideia	nenhuma!

e surpresa:

Não me diga!
Ah sim?!

Quantificação indefinida:

Uns quantos quilos
Um pouco de desporto

Data indefinida:

um dia QUALQUER (desta semana)

Sujeito indefinido:

Leva-SE = as pessoas levam = toda a gente leva

PARECE QUE... ...o médico desconfia de...

Incutindo confiança / esperança...

VAI VER QUE	se vai sentir melhor
	vai sentir-se melhor

Exprimindo acções passadas, que se prolongam até ao presente:

DANTES via	ULTIMAMENTE não TENHO VISTO
Eu COSTUMAVA encontrá-lo	agora não o TENHO ENCONTRADO

Manifestando probabilidade:

(Ele) DEVE   SABER DEVIA   CONHECER

(Ele) DEVE   TER   SABIDO DEVIA TER CONHECIDO

Ontem soube QUE ...

Vou telefonar para saber SE...

Ter saúde
MANTENHA O CORAÇÃO JOVEM

O seu médico diagnosticou-lhe doença das coronárias, ou como vulgarmente se chama, doença do coração?

Esta doença é mais frequente nas pessoas de meia idade, depois dos 40 anos.

A medicina fala dos chamados factores de risco, que podem provocar esta doença, fazendo diminuir a entrada de sangue no coração, que assim fica privado das substâncias nutritivas e do oxigénio de que necessita constantemente para manter a sua actividade. A falta dessas substâncias e do oxigénio provoca dores no coração (angina de peito — ou mesmo enfarte do miocárdio).

Os factores de risco dividem-se em dois grupos.

Um cujos perigos podem ser controlados pela própria pessoa:

Excesso de gorduras, excesso de doces, excesso de comida e, por isso, excesso de peso.

No outro grupo encontram-se os factores de risco cujo conhecimento e tratamento só são possíveis com a ajuda do médico:
- Tensão arterial muito alta (hipertensão)
- Diabetes
- Alteração da quantidade de gordura no sangue
- Aumento de ácido úrico no sangue.

PARA MANTER UM CORAÇÃO JOVEM:

1 - Não fume
2 - Normalize o peso — coma com bom senso
3 - Tenha atenção à dieta
4 - Tome regularmente os medicamentos prescritos
5 - Vá pontualmente ao controlo médico
6 - Pratique desporto sem exercícios de força e velocidade.

"Viva Voz" n.º 18

Constipação: a doença que vem do frio

Quando o espirro sai, violento, os olhos pesam e fica o nariz inflamado, você já sabe que está constipado. De facto, é uma doença desagradável que lhe dá um duplo mal-estar: físico, pois claro, cansaço, dor nos olhos, respiração alterada; mas também psicológico, pois você não tem paciência para estar doente e sobretudo com uma doença que considera menor. Logo, para não perder tempo, enfrasca-se em comprimidos, afoga-se em xaropes, põe pingos nas narinas, faz inalações, enfim, ataca uma doença que normalmente só desaparece no tempo próprio, às vezes sem sequer você dar por isso. De todo o tratamento fica naturalmente uma saturação de químicos no corpo. Por isso siga o nosso conselho: acalme-se. Domine-se. Controle-se. Não abuse. Não brinque aos médicos, seja prudente.

Adaptado da Revista "Proteste" n.º 45

"Doía-me tanto a garganta. A mamã disse logo: Temos de a levar ao Médico de Família!"

Há um Centro de Saúde na área da sua residência. E aí encontra o seu MÉDICO DE FAMÍLIA. Não espere pela doença: mesmo que você e os seus familiares estejam de boa saúde é altura para se inscrever. Para defender a saúde. E para que possa ser acompanhada sempre pelo mesmo médico, numa assistência directa, contínua, compreensiva e global.

O MÉDICO DE FAMÍLIA conhece o estado de saúde de toda a família. Por isso, ele sabe melhor que ninguém o que fazer em cada caso, desde a assistência imediata até ao encaminhamento para os Serviços Especializados.

Nos Centros de Saúde, no seu domicílio, ou no SAP, o MÉDICO DE FAMÍLIA garante uma assistência adequada.

Ministério da Saúde   *Administração Regional de Saúde de Lisboa*

Serviços Médicos de Urgência

Sede — Rua João Chagas, 18 — Algés — 1495 Lisboa
Telefone — 41 97 6 74

■ **Horário dos serviços**
— Na sede: das 7 às 21 horas (dias úteis)
— No domicílio: entre as 21 e as 7 horas

■ **Área de actuação:** Grande Lisboa (incluindo Alverca, Sintra, Almada, Barreiro).

■ **Custo:** Jóia .... 500$00
Quota mensal .... 900$00

■ **Serviços prestados gratuitamente em caso de urgência:**
— Consulta domiciliária (das 21 às 7 horas);
— Medicamentos de primeiros socorros;
— Transporte em ambulância.

■ **Serviços complementares:**
Na sede: Análises clínicas, fisioterapia e reabilitação.
— Consultas na sede: Clínica geral .... 750$00
— Médicos convencionados: Clínica geral .... 900$00
Especialidades .... 1.000$00

Proteste n.° 56

Sede — Rua Luciano Cordeiro, 90, 6.° — Lisboa
Telefones — *Lisboa:* 52 72 77
Porto: 66 83 36

■ **Horário dos serviços**
— Na sede: durante o dia
— No domicílio: entre as 21 e as 8 horas

■ **Área de actuação:** Grande Lisboa (incluindo a zona 3 dos passes sociais) e Porto.
Desde o princípio do ano de 87, os serviços foram alargados a Sintra, Vila Franca de Xira, Cascais e Setúbal.
Os associados que se encontrem eventualmente no Porto podem utilizar os serviços nas mesmas condições que em Lisboa e vice-versa

■ **Custo:** Jóia .... 1.000$00
Quota mensal .... 1.000$00

■ **Serviços prestados gratuitamente em caso de urgência:**
— Consulta domiciliária (das 21 às 8 horas);
— Medicamentos de primeiros socorros;
— Transporte em ambulância (incluindo acompanhamento médico em veículo com equipamento de urgência e maqueiro;
— Serviços de enfermagem;
— Oxigénio;
— Soro;
— Electrocardiogramas;

■ **Serviços complementares:**
— Consultas gratuitas de clínica geral marcadas no próprio dia;
— Descontos em análises receitadas pelos seus médicos e efectuada em laboratório recomendado;
— Desconto em várias consultas da especialidade;

■ **Outras regalias:** Cada sócio fica com direito a um seguro de acidentes pessoais no valor de 100.000$00. Este seguro pode ser extensivo aos outros membros do agregado familiar com o pagamento de mais 200$00 por cada membro.

13.1 O Tozé começou a fazer ginástica há poucos dias. Ele não costumava praticar qualquer desporto e por isso ficou com o corpo todo doído...

Tiago: Então Tozé, essa ginástica?

 Tozé: Ai! nem me fales em ginástica...Nem me posso mexer estou todo partido...

Tiago: Mas tu não costumavas jogar à bola às vezes?

 Tozé: Eu não. Nunca tinha feito nada disso! Às vezes convidavam-me, mas eu tinha tanta preguiça que não saía do meu lugar...

Tiago: Então é isso!... Falta de exercício...

 Tozé: Pois é... pá, mas agora custa tanto!... é que eu não me consigo mexer! Dói-me tudo: pernas, braços, costas... Sinto os músculos todos, até aqueles mais pequeninos que a gente nem se lembra que existem: Não me posso virar, nem sequer dobrar. Não estou bem em posição nenhuma!...

Tiago: Continua a fazer ginástica que isso passa! Vais ver que daqui a uma semana já nem te lembras das dores!

 Tozé: Quem me dera!... Espero bem que sim. Caso contrário desisto.

13.2 O Manuel voltou a jogar ténis...

O Manuel já tinha jogado ténis quando era criança; mas deixou de jogar quando partiu um pé, há uns 7 ou 8 anos.
Nunca mais pegou numa raquete até ao ano passado, altura em que decidiu recomeçar.
Desde então até agora tem jogado regularmente e até tem feito progressos...
No mês passado foi jogar num dos campos de ténis do Campo Grande contra um adversário, que à partida era mais forte, e afinal o Manuel ganhou...
Ele nunca tinha ganho a um jogador mais velho!... Foi a primeira vez!
Ficou tão contente que agora tem ido treinar todas as semanas... sem perder um único dia!
E já pensa em começar a jogar a sério; diz que gostava muito de se tornar jogador profissional e até pensa que já pode entrar em competições... quer nacionais... quer internacionais...
Eu acho que ele já está a sonhar alto demais... mas espero que se torne um jogador famoso — pelo menos eu fico com um amigo importante!...
(Há quem diga que dá jeito!...)

13.3 O Miguel foi passar umas semanas de férias ao Algarve. De lá escreveu aos amigos...

Queridos amigos.,

Espero que tudo esteja a correr bem por aí... porque por aqui não podia estar melhor!

Tenho passado um tempo sensacional! Os dias têm estado óptimos, por isso ainda não perdi um único dia de praia. Devo dizer-vos que tenho estado na praia desde manhã até à noite... Não, não pensem que exagero... Tenho ficado, de facto, na praia até por volta das 8 da noite... Garanto-vos que nunca tinha tido umas férias assim!

Encontrei um grupinho de "malta gira" e temo-nos divertido... temos passado muito tempo juntos... jogamos à bola, corremos, nadamos... até temos andado de barco à vela! (Foi a primeira vez para mim... nunca tinha andado...) e à noite, quando não há mais nada para fazer, vamos ouvir música a um sítio qualquer! e há muitos por cá...

Por que é que vocês não vêm até aqui no próximo fim-de-semana? ou então no outro fim-de-semana, que é maior por causa do feriado na sexta-feira, 15 de Agosto?

Aceitem a minha proposta. Tenho a certeza de que não se vão arrepender. Venham até cá em baixo porque vale a pena. Mas tenham cuidado porque deve haver muita gente com a mesma ideia... por isso marquem os bilhetes com antecedência para terem um lugar bom no autocarro... tragam os fatos de banho... e o resto a gente arranja aqui!

Garanto-vos que vamos passar um bom bocado juntos!

Cumprimentos à malta conhecida e

um abraço do

Miguel

Exprimindo um desejo:

Quem me dera!	
Espero (bem) que	sim ele se torne um jogador...

e uma causa:

... no outro fim de semana,	QUE é maior
... venham até cá em baixo	PORQUE vale a pena

Fazendo comparações implícitas:

Nunca tinha tido férias ASSIM Não podia estar melhor ... à partida era mais forte...

Reforçando a ideia:

NEM	me fales me posso mexer

Já NEM te lembras...

Iniciando uma carta informal:

Querido/a(s) Amigo/a(s) Caro Amigo Caro [João]

e concluindo:

Cumprimentos a todos Um abraço Com (muita) amizade

Exprimindo uma acção passada anterior a outra acção passada:

FOI a 1ª vez QUE ele jogou	Antes	NUNCA	TINHA JOGADO
Não FOI a 1ª vez QUE ele jogou	Antes	JÁ	TINHA JOGADO

Ele já TINHA JOGADO quando era criança

Ele nunca TINHA GANHO; foi a primeira vez

Estou Tenho o corpo	TODO partido doído
Dói-me o corpo Sinto os músculos	TODO TODOS

DESPORTO

Andar a pé também é desporto

Caminhar é um dos exercícios mais naturais e mais saudáveis. É uma das actividades paralelas do campismo e do montanhismo.

A idade não é impedimento, desde que os caminhantes doseiem os percursos de acordo com as suas forças e a sua resistência física.

Para além disso, caminhar também faz bem ao espírito e ajuda a conhecer as regiões por onde se passa.

Em Portugal, a Federação de Campismo e Caravanismo e o Clube de actividades ao Ar Livre têm-se dedicado a esta actividade física. Os percursos mais concorridos são os caminhos das serras da Arrábida, Gerês, Estrela e Sintra.

A Federação Europeia de Turismo Pedestre, fundada em 1969, reúne trinta e sete organizações ligadas a esta actividade. Existem na Europa seis esquemas de percursos pedestres que chegam a atingir dois mil quilómetros, passando por vários países. São as chamadas Grandes Rotas.

Neste momento está a ser preparada uma Grande Rota que se estenderá a Portugal. Para que isto aconteça é necessário que os percursos estejam assinalados e preparados para receber os caminhantes e que haja estruturas de apoio e assistência, como, por exemplo, parques de campismo.

"Viva Voz" n.º 74

A emoção dos desportos em Portugal tem sempre como companhia o Sol.

Quais os seus desportos favoritos?

Todos ou quase todos poderá praticar?

O golfe, em verdes relvados, espalhados de norte a sul. O ténis, em que bastará escolher o parceiro e jogar uma animada partida. O hipismo, percorrendo prados e florestas, saltando obstáculos. As pistas da Serra da Estrela esperam-no para esquiar.

É apreciador de desportos náuticos?

Então pratique natação, vela, "Wind-surf", remo, pesca, exploração submarina, "Surf" e esqui aquático. As piscinas convidam-no a refrescantes mergulhos. As praias, os rios e as albufeiras, são paraísos para os pescadores. Para os amadores de "pesca grossa" de alto mar, espadartes e atuns oferecem a oportunidade de bater "records" internacionais.

Incontestavelmente, Rosa Mota foi a figura do ano de 1988. Na madrugada de 23 de Setembro, ao conquistar a medalha de ouro na maratona das Olimpíadas de Seul, a "Rosinha" confirmou, de uma vez por todas, ser a melhor atleta portuguesa de todos os tempos.

A primeira vez que Rosa Mota compreendeu a importância de correr depressa e bem, devia ter ela seis ou sete. Foi à porta de sua casa. "Bati num miúdo e depois pirei-me..." — relembra, vinte e tal anos depois.

Curiosamente também os pais têm um fraquinho pelo desporto: a mãe fazia a sua "corridinha" até há bem pouco tempo e ainda vai ao ginásio duas vezes por semana, enquanto o pai não perde uma oportunidade para, na praia, dar uns pontapés na bola ou jogar um animado jogo de vólei...

Todos os dias, pontualmente às nove da manhã, Rosa Mota desce até à rua para dar início ao primeiro dos seus dois treinos diários.

São poucos os dias em que Rosa não tem companhia. Arranja sempre alguém para correr consigo: "É mais simpático, vai-se correndo e conversando, sei lá, sinto-me mais acompanhada" — afirma-nos.

Adaptado da Rev. "Sábado", 2/1/89

DESPORTO: NUNCA É TARDE DE MAIS

A actividade desportiva constitui uma forma eficaz de lutar contra a morte: 2000 calorias (quatro ou cinco horas de ténis) despendidas por semana sob a forma de exercício físico reduzem em 29% a taxa de mortalidade. Para dividir por dois as "hipóteses" de morrer com uma determinada idade, seria suficiente gastar daquela forma 3500 calorias por semana. Tais são as conclusões de um inquérito realizado junto de 1700 antigos alunos da Universidade de Harvard. E nem sequer podem ser aceites argumentos dos preguiçosos, como: "Na minha idade, é tarde de mais para começar." É que os responsáveis pelo estudo também descobriram que uma pessoa de 80 anos que se decida a fazer desporto (de forma moderada e sob vigilância médica, claro) prolonga a sua esperança de vida por um ou dois anos. Não há desculpas para não deitar mãos à obra.

"Marie Claire", Dez. 88

PRATICA DESPORTO? PORQUÊ?

● Pratico ginástica rítmica. Porque acho giro, gosto de fazer e é saudável.
Paula Cristina – Estudante 12.º ano.

● Agora não, já pratiquei. Agora sou director de uma colectividade onde temos algumas crianças a fazer desporto. Não pratico, mas estou ligado.
Fernando Augusto Oliveira – Gráfico-Tipógrafo

● Ai não. Não ligo. Se fosse mais nova, mas agora já estou velha. Não ligo.
Maria Cândida Martins – Reformada.

● Sou amante do desporto, mas não pratico nenhum. Leio «A Bola».
Francisco Pulido – Trabalhador na Lusalite

● Não, por acaso não. O tempo não dá para isso. Trabalho bastante.
António Rodrigues Pires – Pedreiro

● Não. Já fiz um pouco de ginástica. Mas agora, na minha idade, já não pratico nada, senão em casa a trabalhar.
Celeste – Reformada

"Viva Voz" n.º 26

14.1 Quando o Pedro chegou ao cinema o filme já tinha começado... mas a Ana, que também tinha chegado pouco antes, ainda estava à espera dele cá fora.

Pedro: Ó Ana, desculpa-me o atraso mas lembrei-me que não tinha posto as cartas no correio! E ainda por cima tive que comprar selos e demorei mais um bocado... Estava lá imensa gente!

Ana: Ah não faz mal... eu também cheguei agora porque o meu irmão se esqueceu de mim! Tinha prometido dar-me boleia para aqui... fiquei à espera dele... e afinal ele já se tinha ido embora.

Pedro: Já tens os bilhetes?

Ana: Eu? Ainda não... Como é que eu os podia ter se também cheguei agora?

Pedro: Tens razão, desculpa... Olha, então talvez seja melhor nem os comprarmos... fica para outro dia. Em vez disso podemos ir passear! Está um fim de tarde tão bonito!

Ana: Acho óptimo. Além disso este filme deve ser chatíssimo...

Pedro: Achas que sim? Eu li há dias uma crítica que dizia maravilhas... e foi escrita por uma pessoa que é bastante conhecida...

Ana: Eu também tinha essa ideia, mas esta manhã ouvi uma colega minha dizer o pior possível. Ela diz que o filme parece que foi feito em cima do joelho! A história não é má, mas está mal realizada e pessimamente interpretada... Sendo assim, acho que nem vale a pena ver!

Pedro: Sério? Então deve ser giro! Adoro filmes que provocam reacções contrárias nas pessoas! Venho vê-lo noutro dia qualquer... Venho sozinho se tu não quiseres vir.

14.2 O Dr. Seabra, numa entrevista que deu há dias a um jornalista, conta qual foi o espectáculo que mais o sensibilizou!... Foi um Concerto no Teatro de S. Luis... saiu de lá completamente eufórico...

Ele tinha ido àquele concerto apenas para passar o tempo, para se distrair um pouco e, claro, porque gostava de música!...
Mas o concerto tinha sido excelente, sensacional!. Mais do que isso... tinha sido maravilhoso!!!
Ele disse que nunca tinha ouvido nada tão bonito! E o solo de piano!... O "Sonho de Amor" de Lizst foi interpretado como nunca! Ainda hoje parece ouvir os sons daquele piano... Tão puros... tão firmes... e ao mesmo tempo tão ingénuos... tão frágeis... tão sensíveis!
— Eu imaginei que estava a ser transportado ao céu e acho que fiquei lá por muito tempo... creio mesmo que não queria descer à terra!!! — disse ele.
E continuou:
— Eu estava de tal maneira entusiasmado que nem me apercebi que o Concerto já tinha acabado, que eu já tinha saído do teatro, que tinha atravessado a rua e continuava a andar sem saber para onde!
Só mais tarde é que vi onde estava! e foi então que me lembrei que tinha deixado o carro ao pé do Teatro!
Depois de ter andado bastante tive que voltar atrás para o ir buscar...

**14.3 Numa Galeria de Arte, a Joana e o Pedro
vão observando os quadros expostos...**

Joana: Estive a olhar para este quadro e não percebi nada!
Tu és capaz de me explicar o que é que isto quer dizer? Parece que foi
desenhado por uma criança! ou se calhar uma criança fazia melhor!

Pedro: Estás a ser mazinha! Observa com atenção e talvez encontres pormenores
bem interessantes!

Joana: Talvez... talvez... mas tenho muitas dúvidas!... Olha tu com atenção e
diz-me o que vês... mas só o que vês, não comeces a inventar!

Pedro: Não é uma questão de inventar... é apenas uma questão de sensibilidade...
de capacidade de entender a mensagem que o pintor nos quer transmitir...

Joana: As tuas palavras são bonitas... mas eu duvido que o autor tenha
querido dizer alguma coisa com este quadro todo pintado de azul...
e com uma pinta preta do lado esquerdo... ali a meia altura!
Explica-me lá! o que é que tu vês aqui?

Pedro: Bom... eu vejo uma enorme extensão de mar... um mar muito azul... ou não...
talvez seja céu!... Ali, aquele ponto negro foi colocado pelo pintor para nos
dar a sensação de distância... talvez seja um peixe... talvez seja uma ave...

Joana: Então quer dizer... se a grande extensão azul for
mar... o ponto negro é peixe; mas se for céu o
ponto negro tem que ser um pássaro... ou será um peixe-voador?

Pedro: Tu és impossível! Tu não tens sensibilidade para
estares na frente de uma obra de arte! Estás demasiado ligada à terra...

Joana: Isso é bom ou é mau?...

Qualificando:

Um fim de tarde	TÃO bonito!	A história...	
Os sons de piano	TÃO firmes	...NÃO É MÁ	
Um concerto	EXCELENTE	está MAL	realizada
	SENSACIONAL	PESSIMAMENTE	interpretada
Um filme	CHATO		
	CHATÍSSIMO		

A crítica diz maravilhas
Eu ouvi dizer o pior possível

Concluindo:

Sendo assim...
...e afinal ...

Manifestando uma opinião:

ACHO	óptimo / péssimo	
ACHO		não vale a pena ver nem
CREIO	QUE	não queria ...

ADORO filmes QUE provocam reacções ...

Voz Passiva:

A crítica	FOI ESCRITA	POR uma pessoa ...
O filme	FOI FEITO	
O quadro parece que	FOI DESENHADO	POR uma criança.
O ponto negro	FOI COLOCADO	PELO pintor

Imaginei que ESTAVA A SER TRANSPORTADO ao céu...

Exprimindo uma dúvida:

TALVEZ	SEJA melhor ENCONTRES...	SE CALHAR uma criança fazia melhor

e uma condição:

Se (tu)	QUISERES
SE (aquilo)	FOR ...

DIREITO AO DESCANSO
TEMPOS LIVRES

Os tempos livres, tal como hoje os entendemos, nem sempre foram ocupados da mesma maneira e tiveram a mesma importância.

Nas civilizações primitivas, fundamentalmente agrárias, dominadas pela natureza e dependentes das suas leis, os tempos de lazer alternavam-se com os períodos de trabalho.

Quando nas sociedades começaram a surgir classes bem diferenciadas, os tempos de lazer eram privilégio das classes dominantes, enquanto os trabalhadores lutavam ainda pelo direito de disporem do seu tempo, assim:

— Na Antiguidade (como os egípcios, gregos e romanos) os escravos exigiam a sua libertação.
— Na Idade Média, (séculos V a XV), os servos pediam a diminuição dos impostos e dos direitos feudais que eram tão elevados que os obrigavam a trabalhar quase sem parar.
— A noção do tempo de trabalho — tempo livre aparece no século XVIII, com a Revolução Industrial e o surgimento do operariado.

Os horários então realizados de 14 a 16 horas para os adultos e de 10 a 12 para as crianças levam às primeiras reivindicações, orientadas no sentido da redução dos horários.

Os tempos livres, de que hoje se fala (a semana-inglesa, a semana de 40 horas, o mês de férias, os feriados e férias pagas) surgem no seguimento de progressivas conquistas na busca de uma cada vez maior justiça social, embora ainda hoje muitas pessoas, principalmente no campo, não disfrutem destas regalias.

O QUE FAZ NOS TEMPOS LIVRES?

Joaquim Manuel Valério, 16 anos, desempregado.

— *Jogo ao bilhar, passeio... não faço nada.*

Maria da Conceição Machado, 25 anos, professora do ensino secundário.

— *No tempo que me fica, que não é muito, olhe, vejo televisão.*

Francisco da Silva, 87 anos, rural.

— *A conversar para aqui sentado. Mas todos os dias vou limpar as oliveiras. Trabalhar até morrer.*

Manuel Figueira Dias, 18 anos, emigrante na Suíça.

— *Faço desporto. jogo à bola, ao bilhar... sei lá.*

"Viva Voz" n.º 16

TEATRO

Fausto, Fernando, Fragmentos, orig. Fernando Pessoa, adapt. António S. Ribeiro, versão dramatúrgica Ricardo Pais e António S. Ribeiro com a colaboração de Léglise Costa, direc. e concep. Ricardo Pais; cen. e figur. António Lagarto; mús. António Emiliano; luz Orlando Worm.

Espectáculo com base em textos compilados ao longo de 20 anos por Fernando Pessoa. Fausto, Fernando. Fragmentos faz uma reflexão sobre o mistério do Bem e do Mal, a multiplicidade de Deus e a impossibilidade de alternativa do amor à ética solitária do cientista feito escritor.

Representam os seis Faustos, António Rama, Carlos Pimenta, José Neves, José Wallenstein, Luís Madureira e João Perry. A impossibilidade "pessoana" de figurar num só corpo é representada por três tecedeiras Fernanda Alves, Maria Amélia Matta e Lúcia Maria.

Com Filipa Pais, Carlos Aurélio e Cassiano Vieira.
Teatro Nacional de D. Maria II. Praça Pedro IV, tel. 326452. Pr. 250. a 400. Estud., c. jovem 125. a 200. 21.30. Dom. 16h

Romeu e Julieta Adapt. João Lourenço e Vera San Payo de Lemos; enc. João Lourenço; mús. Eduardo Paes Mamede; cen. Jochen Finke e figur. Renné Hendrix.

Quem nunca esteve por uma única vez numa história assim? Quem nunca foi por uma vez Romeu e Julieta? Rui Luís Braz e Cristina Carvalhal são os jovens actores escolhidos para o serem no Teatro Aberto. Com Irene Cruz, Luís Salgueiro, Rui Braz, Cristina Carvalhal, Catarina Avelar, Zita Esteves, Francisco Pestana, José Jorge Duarte, Jorge Baião, António Felipe, Melim Teixeira, Joaquim Monchique, Jorge Gonçalves e Paula Bicho.
Teatro, Praça de Espanha, tel. 770969. Pr. 600. Estud. 450. 21.30h, Sáb. 16h e 21.30. Dom. 16h. Fecha 2.ª.

Ana Galvão
Clube Cinquenta. R. de S. Mamede ao Caldas, 9, 1.º, tel. 862388. 17-20h. Sáb. 15-20h. Fecha dom. e 2.ª.
Gravura. Até 11 de Janeiro.
Ângela Vimonte
Galeria da Cervejaria da Trindade. R. Nova da Trindade, 20-C, tel. 323506. 16-24.
Pintura. Até 8 de Janeiro.
"A Aventura Humana"
Museu de Etnologia. Av. Ilha da Madeira, tel. 615264. 10.12.30h e 14-17h. Pr. 60. Dom. e estud. entr. livre.
Até 31 de Março
Manuel Gantes
Galeria de São Bento, R. do Machadinho, 1, tel. 674325. 11-13h e 15-20h. Fecha dom., feriados e 2.ª manhã.
Pintura. Até 3 de Janeiro.
Maria José Oliveira
Museu Nacional do Traje. Parque do Monteiro-Mor (ao Lumiar), tel. 7590318. 10-13h e 14.30-17h. Fecha 2.ª e feriados.
Ourivesaria têxtil — "Pano Para Mangas". Até ao fim de Dezembro.
Maria Manuela Madureira
Galeria de Exposições Temporárias. Fundação Calouste Gulbenkian. Av. de Berna, 45-A, tel. 735131. 10-17h. Fecha 2.ª e feriados.
Escultura e Pedra — "Comunicações Espaciais".
A Exposição é constituída por 12 peças de Pedra e Madeira de grandes dimensões. Até 8 de Janeiro.
Mário Botas"
Biblioteca Nacional. Campo Grande, 83, tel. 767647, 10-19h. Fecha dom.
Pintura. Até 13 de Fevereiro.
René Lalique
Museu Calouste Gulbenkian, Av. de Berna, 45-A, tel. 735131, 10-17h. Fecha 2.ª e feriados.
"Lalique, Ourives e Joalheiro". Obras de joalharia, ourivesaria, vidros e outros objectos de arte. Até final de Abril.

EXPOSIÇÕES

CINEMA

Quem Tramou Roger Rabbit *(Who Framed Roger Rabbit, USA. 1988).* Real. Robert Zemeckis, produção de Steven Spielberg, com Bob Hoskins. M/6.
Um dos mais espantosos filmes feitos até hoje: "A acção desenvolve-se tomando como base a ideia de fazer coexistir no mesmo espaço fílmico actores de carne e osso e personagens desenhadas que habitam temporariamente entre os humanos, antes de regressarem, após um dia de trabalho, na produção de cartoons, a uma espécie de subúrbio, a Toontown. Roger Rabbit é um desses actores e contracena com Baby Herman, a estrela de muitos filmes da Marron Studios" (João Garção Borges).

Salsa Real. Boaz Davidson, com Robby Rosa e Rodney Harvey. M/12.
Três jovens porto-riquenhos que vivem em Los Angeles, participam num concurso de dança para ver qual dos três estará presente na final, em Porto Rico. O favorito, Rico, envolve-se numa briga com o namorado da irmã e quase perde o concurso.

Bafly — Amor Marginal *(Barfly, EUA, 1988).* Real. Barbet Schroeder, com Mickey Rourke, Faye Dunaway e Alice Kriege. M/18.
Henry é um vagabundo beberrão e conflituoso que arrasta a existência entre brigas e bebedeiras constantes. Mas, por detrás da miséria humana esconde-se um escritor de talento e coração sensível.

A Mulher do Próximo *(Portugal, 1988).* Real. José Fonseca e Costa, com Fernanda Torres, Carmen Dolores, Mário Viegas, Vítor Norte, Virgílio Teixeira, Catarina Santos e participações especiais de António Victorino de Almeida e Sandra Borsatti. Argumento de Miguel Esteves Cardoso e José Fonseca e Costa. Filme de qualidade.
A família Castro Silva é abalada pela morte do pai, Mário, num acidente de automóvel com a sua amante, Terry. Quando a viúva Cristina, e a filha, Isabel, vão identificar o cadáver, descobrem que o pai de Terry é António, antigo amigo de Mário e grande amor de Cristina.

Adaptado da revista "Sábado"

Chegou a hora da despedida. A Marta e o João foram levar a Lisa ao aeroporto...

Lisa: Esta minha viagem a Portugal foi inesquecível!
Eu jamais vou esquecer tudo o que vi e aprendi com vocês!

João: Aliás, esta visita da Lisa a Portugal ainda não acabou...
Não se esqueçam que vamos continuar a
fazê-la por escrito!

Marta: Pois é; nós vamos mandar-te postais dos Açores e
da Madeira para tu ficares com uma ideia do que
ficou por visitar...

Lisa: Sim, é claro que eu também prometo escrever...
Mas vocês também têm que pensar em ir ao Brasil...
Combinem tudo direitinho... eu quero saber quando
chegar a hora... Eu fico esperando por vocês...

Marta: Desejamos-te uma óptima viagem...

João: Boa-viagem... e Felicidades.

 **De repente a Marta ficou preocupada!
Não sabia onde podia encontrar postais dos Açores
em Lisboa... Provavelmente ia ser difícil, e ela
não se tinha lembrado disso antes!...**

Marta: Ó João, esquecemo-nos de um pequeno pormenor!...
Onde é que se pode arranjar postais da Madeira
ou dos Açores, aqui em Lisboa? Vai ser difícil...

João: Não é nada. Foi criada uma secção de Turismo dos
Açores... Lá encontramos um pouco de tudo.
Tenho lá ido várias vezes e tenho visto postais bem bonitos...

Marta: Ainda bem... eu vou lá amanhã e compro os mais bonitos...
e tu ficas sem nenhuns...

João: Isso é o que tu pensas... Eu já comprei uma série deles!...

**A Marta andava entusiasmadíssima!
só pensava em descobrir postais, livros e discos para mandar à Lisa!...**

Querida Lisa,

O prometido é devido, como se diz por cá!
Aqui vai um postal da cidade do Funchal, a maior cidade do
arquipélago da Madeira, onde eu tenho ido várias
vezes. É um pequeno paraíso cheio de flores
e bordados muito bonitos. O vinho também é muito
conhecido; mas eu prefiro o Bolo de Mel que
é feito com mel e muitas especiarias; é comido
especialmente no Natal, mas eu como-o em qualquer altura do ano...
Um abraço amigo e até ao próximo postal.
Marta

Lisa querida,

    O postal transformou-se em carta (com muitos postais
dentro) porque eu tenho imensas coisas para te dizer.

    Comecei a fazer ginástica. Foi o João que me convenceu.
Disse-me que eu precisava de exercício físico e eu acreditei! Só
que agora ando cheia de dores... mal me posso mexer! ele ri-se
de mim... mas enquanto para ele é um hábito praticar desporto
(tem participado em diversos campeonatos de ginástica e de
natação), para mim foi a primeira vez que entrei num ginásio...
Nunca lá tinha entrado antes!

    Mando-te vários postais não só da Ilha da Madeira como
do Porto Santo, uma ilha que fica a cerca de 40 km para
nordeste, onde a praia se estende até perder de vista. Além disso,
lembrei-me que tu gostas de música e por isso vou enviar-te uma
cassete com canções da Madeira. Espero que gostes.

    Esta carta já vai longa e eu quero pô-la no correio ainda
hoje. Não te esqueças de dar notícias tuas; eu fico à espera! Os
meus pais enviam muitos cumprimentos para todos.

    Um abração muito amigo da

                 Marta

Bolos de mel ricos da Madeira

Ingredientes:

2 kg de farinha
0,5 kg de manteiga
0,5 kg de banha
1 kg de açúcar
10 gr. de erva-doce
10 gr. canela moída
10 gr. pimenta moída
10 gr. cravinho moído
1,5 kg de melaço de cana
1/4 de kg de cidrão

1/4 de kg de nozes bem picadas
1/4 de kg de amêndoas
1 pão em massa bem levedado
1 copo de vinho Madeira ou Porto
1 cálice de aguardente
2 laranjas
1 colher de sopa de bicarbonato de soda

Maneira de preparar

Derreter as gorduras, pôr todos os ingredientes num alguidar, mexendo bem, enquanto a farinha não estiver envolvida. Abafa-se o alguidar com uma toalha e um pano de lã e deixa-se levedar durante 3 dias. Cozem-se em formas redondas com cerca de 5 a 6 cm de altura. Pode enfeitar-se com amêndoas inteiras, bocados de noz e cidra. Cozer de preferência em forno a lenha, depois de cozer pão.

"Viva Voz" n.º 39

O João tem andado em exames por isso só escreveu à Lisa
algum tempo depois...

Olá Lisa,
Com algum atraso aqui vão as minhas notícias.
Soube que a Marta já escreveu sobre a Madeira (com
certeza só falou de comidas e bolos — é o costume!).
Sobre os Açores é muito difícil, para não dizer impossível,
falar aqui em tão pouco papel! São 9 ilhas,todas elas de origem
vulcânica (e qual delas a mais bonita) todas com características
únicas. Por todos os cantos se encontram flores, árvores e água
— tanto no mar como nas lagoas interiores...
A ilha das Flores é um jardim a flutuar no mar, onde
predominam as hortênsias: a ilha do Corvo é a mais pequenina de
todas, o que a torna um paraíso de vida simples e tranquila.
Com amizade.

João

Lisa,
Tenho passado estas últimas semanas em exames de fim de
ano e tenho estado, de facto, muito ocupado...Mas finalmente acabei
o meu curso! Agora vou poder descansar um pouco... e depois
espero arranjar trabalho.
Mando uma pequena colecção de postais dos Açores, que
consegui encontrar e dão uma ideia, ainda que incompleta, destas
"ilhas-jardim", onde as flores ocupam um lugar central e onde há
tempo para parar, apreciar e sentir o nosso próprio ritmo de vida.
Mas para compreender melhor é preciso ir aos Açores. Espero
que o possamos fazer um dia.
Um abraço amigo do

João

16.1 No escritório, a secretária da Direcção deu todos os recados que tinha ao paquete...

Sec.: Sr. Jerónimo, finalmente! Ainda bem que aparece...
O sr. Director deixou aqui uma série de recados
para si...

Jer.: Então o que é que quer que eu faça?

Sec.: Primeiro, o sr. Director quer que o sr. vá ao Correio
e leve estas encomendas para registar... e
pede-lhe que traga o recibo. Não se esqueça.

Jer.: Bom, isso é rápido...

Sec.: Mas há mais! O sr. Eng. Campos precisa de um carro
para ir a Coimbra em serviço e prefere que seja o
sr. Jerónimo a tratar disso. Ele diz que só confia
em si... Quer que veja como é que está o óleo, o
gasóleo, a pressão dos pneus, enfim, essas coisas!

Jer.: Pronto... com essa já me estragaram a tarde!!!...
Tenho que levar o carro à garagem!

Sec.: Isso quanto tempo é que irá demorar?

Jer.: Sei lá, depende... ainda por cima o pneu sobressalente
está furado; é preciso ir arranjá-lo!

Sec.: Eu só perguntei porque a Dra. Odete tem uma série
de cartas para a Direcção-Geral e quer que o
senhor as leve ainda esta tarde para entregar em mão...

Jer.: E, se calhar, também quer que traga a resposta
antes do jantar, não?!...
Isto é que é uma vida!... Eu é que tenho que fazer
tudo... Estou farto disto...

Sec.: Mas... o que foi que aconteceu, sr. Jerónimo? O
seu trabalho é este... É para isso que lhe pagam!.

Jer.: Pois... pode ser que seja... mas eu estou farto...
Querem que eu faça tudo...
Logo esta tarde que eu tinha pensado ir ao cinema!

16.2 **O sr. Fonseca teve um acidente quando ia a caminho do emprego...**
Não foi grave; mas o carro, que era novo, ficou parcialmente destruído...
A culpa não foi dele, não é ele quem vai pagar o arranjo, mas mesmo assim ele ficou desolado...
Os colegas, no escritório tentaram consolá-lo:

Olívia: Ó Fonseca não fique assim... não se preocupe... Olhe para si próprio... veja que, pelo menos, você está vivo... está inteiro... Quer que eu lhe faça um cafezinho?...

Fonseca: Não, não me apetece nada agora, obrigado... eu só penso no carro... eu gostava tanto dele...

Matos: Ora! o seu carro vai para a oficina... daqui a uma semana ou duas está pronto... ainda por cima nem é o Fonseca quem vai pagar... vá lá homem! anime-se... não esteja assim!...

Fonseca: Mas já viu como é que eu vou ficar sem carro durante todo esse tempo?

Matos: Qual é o problema? Para que é que servem as Companhias de Seguros?

Fonseca: O que é que quer dizer com isso?

Matos: Ó homem! Faça já uma carta à Companhia de Seguros do outro, do que teve a culpa do acidente..., explique-lhes que não pode ficar sem carro e peça-lhes um carro alugado... Eles que lhe resolvam o problema!

Olívia: Pois claro... é assim mesmo... Escreva à Companhia, diga quantos quilómetros tem que fazer todos os dias, mostre como o carro é importante para si...

Matos: E entretanto ande de táxi e mande-lhes os recibos... Eles que lhe paguem as despesas... Você não teve culpa!...

**16.3 A Rita estava nervosíssima porque ia fazer o exame de condução...
e a Sara tentava acalmá-la...**

Rita: Tens um cigarro que me dês?
(...): Obrigada. Não sei se vou conseguir controlar-me!
Daqui a pouco ou desato a rir como uma louca...
ou a chorar como uma Maria Madalena!
Sara: Não sejas tonta...tudo vai correr bem, vais ver!
Rita: Ai... não sei... não tenho assim tanta certeza!
Sara: Olha, não faças o que o Jaime fez... que seguiu
em frente em vez de virar à direita... não viu
que era sentido proibido e reprovou por causa de uma distracção...
Rita: Ó Sara! Já tenho as pernas a tremer!... Não vou
conseguir fazer nada de jeito!
Sara: Vá lá... não te preocupes tanto... Põe a cabeça
no lugar... Acalma-te... Descontrai-te... Não te
ponhas assim tão nervosa porque isso não te ajuda
nada... Olha bem para todos os lados... e está com atenção...
Rita: Eu vou tentar... mas não prometo!
Tens horas que me digas?
Sara: São 4 em ponto. Olha... estão a chamar por ti.
Chegou a hora... Não te esqueças que o travão é o pedal do meio!...
Rita: Ó Sara! Não brinques... eu estou tão nervosa!
Sara: Deixa lá. Não leves as coisas tão a sério... Tens
sempre hipótese de repetir o exame!...
Rita: Fazer outra vez o exame? Há quem faça... mas eu?
Duvido muito que alguma vez consiga repetir isto!

118

Incutindo ânimo:

```
´Vá lá´...
Vai tudo correr bem, vais ver!
Deixa lá...
```
```
Anime-se!  Não fique assim...
```

Exprimindo alívio:

```
Ainda bem que aparece!
Finalmente!
```

Aconselhando:

		ESTÁ PÕE	com atenção a cabeça no lugar
Não Não		FAÇAS BRINQUES	o que o Jaime fez ...

Sujeito indefinido:

```
Há quem diga...
```

Fazendo um pedido:

TENS um cigarro horas	QUE me DÊS? QUE me DIGAS?
IMPORTAS-te	QUE eu FIQUE aqui?
AGRADEÇO-te QUE FIQUES	

Exprimindo uma ordem:

QUERO QUE	o senhor FAÇA LEVE TRAGA

uma dúvida:

PODE SER QUE	SEJA... mas...
DUVIDO QUE	CONSIGA repetir

Aconselhando:

Explique à companhia que...
Explique-LHES   que... Peça-LHES   um carro ...

e propondo soluções:

ELES QUE lhe   PAGUEM lhe   RESOLVAM

ESTRADA "MATA" 5 PESSOAS POR DIA

Carro novo. Adora
velocidades.
Gosta de se sentir
admirado.

*Número sem dúvida
assustador é o de
falecimentos devidos a
acidentes de viação no nosso
país.
Analisá-los, por um lado, e
tentar tirar as conclusões
que se impõem — eis o
objectivo deste trabalho.*

Mas fez um erro.
Distraiu-se.

Pois é ... saiu da sua
faixa
de rodagem.
Imperdoável.
Bateu.

OS NÚMEROS

Dos acidentes "contabiliza-
dos" no ano passado
(62 366), resultaram 1965
mortos (só durante as
primeiras 24 horas após o
acidente) e 43 705 feridos.
Dividindo estes números
pelos 365 dias do ano
obtemos **5,4 mortos** e **120
feridos** por dia. E isto, claro,
sem falar nos acidentes
menores, sem consequências
funestas e que passam
despercebidos.

Quanto ao tipo de veículos
intervenientes nos acidentes,
os automóveis ligeiros de
passageiros e os velocípedes
com motor são, de longe, as
formas mais perigosas de
viajar.

ALGUNS CONSELHOS
- Se conduzir, não beba.
- Use sempre o cinto de
  segurança.
- Pense sempre na
  possibilidade de uma
  falha humana já que elas
  parecem ser a principal
  causa dos acidentes de
  viação ocorridos no
  nosso país.
- Pense também nas
  falhas mecânicas e
  tenha o seu carro em
  boas condições de
  funcionamento.
- Quanto à velocidade...
  mais vale tarde do que
  nunca.

Adapt. Rev. "Proteste" n.º 58

Tem na sua viatura o impresso da Declaração Amigável de
Acidente Automóvel. Já o leu atentamente? Então já sabe
como é fácil preenchê-lo. De qualquer modo, alguns
conselhos práticos:

- A frente do impresso tem de ser preenchida no local do
  acidente e **assinada pelos condutores.**
- **Use esferográfica** para que o duplicado fique bem legível.
- **Cada condutor fica com um exemplar** para posterior
  envio à respectiva seguradora, após o preenchimento,
  por cada segurado, do verso da Declaração Amigável.
- Mesmo que a autoridade intervenha, o impresso deve ser
  enviado às seguradoras no mais curto prazo possível,
  nunca excedendo 8 dias.

Quais as vantagens da Declaração Amigável?

- Permite uma versão única do acidente.
- Não é um compromisso de responsabilidade no acidente;
  ninguém tem que se dar por culpado.
- Evita mal-entendidos.
- Permite acelerar a indemnização de prejuízos.
- É válida em Portugal e na maior parte da Europa. O
  idioma não é obstáculo pois, nos impressos dos diversos
  países, todas as rubricas seguem a mesma ordem, o que
  torna a Declaração Amigável internacionalmente
  compreensível.
- A simples entrega na seguradora da Declaração Amigável
  não influi no prémio do seguro. O segurado — quando
  não responsável pelo acidente — não é penalizado com
  perda do bónus ou agravamento do prémio por
  sinistralidade.

Lembre-se: melhor que discutir o acidente é descrevê-lo.

Associação Portuguesa de Seguradores

Declaração Amigável de Acidente Automóvel

DECLARAÇÃO AMIGÁVEL DE ACIDENTE AUTOMÓVEL

Não constitui reconhecimento de responsabilidade, mas a constatação dos factos e a identificação dos intervenientes, com vista a maior rapidez na regularização do sinistro

Deve OBRIGATORIAMENTE ser assinada pelos DOIS condutores

1. DATA do acidente: 92.10.01 — Hora: 14:20

2. LOCAL (Estrada/rua, localidade e concelho): R. Castilho, Lisboa

3. Houve FERIDOS, mesmo ligeiros? NÃO [X] SIM [ ] *

4. Houve DANOS MATERIAIS além dos causados aos veículos A e B? NÃO [X] SIM [ ] *

5. TESTEMUNHAS Nomes, moradas e telefones. Indicar se são passageiros dos veículos A ou B

VEÍCULO A

6. SEGURADO (ver documento de seguro)
Apelidos (maiúsculas): SILVA PINHO
Nomes: João Pedro
Morada (c/código postal): R. do Viveiro, 502 3º D Monte Estoril 2765 Estoril
Telefone (das 9h às 16h): 268884
Poderá o segurado recuperar o I.V.A. referente ao veículo? NÃO [X] SIM [ ]

7. VEÍCULO
Marca e modelo: Oldsmobile - 420 I
Nº de matrícula (ou do motor): IC-73-36

8. COMPANHIA DE SEGUROS
Companhia de Seguros "Alfa"
Apólice nº (ou certif. provisório): 2.1.520.411
Dependência: Cascais
Nº de Carta Verde:
(Para segurados no estrangeiro)
Cartão ou Carta Verde } válido até: 87.11.04
Os danos deste veículo estão seguros? NÃO [X] SIM [ ]

9. CONDUTOR (ver licença de condução)
Apelidos (maiúsculas): SILVA PINHO
Nomes: João Pedro
Morada (c/código postal): R. do Viveiro, 502 3º D Monte Estoril - 2765 Estoril
Licença de condução nº: L-224.459
Categoria (A, B, ...): B emitida por Direcção de Viação de Lisboa em 81.01.14
Válida de 81.01.25 a 88.01.25

10. INDICAR POR MEIO DE SETA (→) O PONTO DE EMBATE INICIAL

11. DANOS VISÍVEIS
Pára-choques traseiro "stop" segurado e amolgadela na porta-bagagens

14. OBSERVAÇÕES

12. CIRCUNSTÂNCIAS DO ACIDENTE

Marcar com uma cruz (X) no respectivo quadrado as circunstâncias aplicáveis a cada veículo para melhor compreensão do esquema do acidente.

	Circunstância	
1	Estava estacionado	1
2	Saía de estacionamento	2
3	Ia estacionar	3
4	Saía de um parque de estacionamento, de local privado ou de um caminho particular	4
5	Entrava num parque de estacionamento, local privado ou num caminho particular	5
6	Entrava numa rotunda ou praça de sentido giratório	6
7	Circulava numa rotunda ou praça de sentido giratório	7
8	Embateu na traseira do outro veículo que circulava no mesmo sentido e na mesma fila	8 [X]
9	Circulava no mesmo sentido mas numa fila diferente	9
10	Mudava de fila	10
11	Ultrapassava	11
12	Virava à direita	12
13	Virava à esquerda	13
14	Recuava	14
15	Circulava na parte da faixa de rodagem reservada à circulação em sentido contrário	15
16	Apresentava-se pela direita (num cruzamento ou entroncamento)	16
17	Não respeitou um sinal de dar prioridade	17

INDICAR O NÚMERO TOTAL DE QUADRADOS MARCADOS COM UMA CRUZ (X)
← 1 / 1 →

13. ESQUEMA DO ACIDENTE

Indicar: 1. O traçado das vias. - 2. Direcção (por meio de setas) dos veículos A e B. - 3. Sua posição no momento do embate. - 4. Sinais de trânsito. - 5. Nome das ruas ou estradas.

Semáforo — R. Castilho — B → A
R. Braancamp
Semáforo

VEÍCULO B

6. SEGURADO (ver documento de seguro)
Apelidos (maiúsculas):
Nomes: FERREIRA & SANTOS, Lda.
Morada (c/código postal): Av. Luísa Todi, 950 2900 SETÚBAL
Telefone (das 9h às 16h): 0659843
Poderá o segurado recuperar o I.V.A. referente ao veículo? NÃO [X] SIM [ ]

7. VEÍCULO
Marca e modelo: Hudson 200 GDL
Nº de matrícula (ou do motor): AA-02-34

8. COMPANHIA DE SEGUROS
Companhia de Seguros "Beta"
Apólice nº (ou certif. provisório): 6.216.877
Dependência: Setúbal
Nº de Carta Verde:
(Para segurados no estrangeiro)
Cartão ou Carta Verde } válido até: 87.11.26
Os danos deste veículo estão seguros? NÃO [ ] SIM [X]

9. CONDUTOR (ver licença de condução)
Apelidos (maiúsculas): SOARES DUARTE
Nomes: Mário António
Morada (c/código postal): Av. 5 de Outubro, 1073 2ºA Azeitão 2900 Setúbal
Licença de condução nº: L.164.722
Categoria (A, B, ...): B emitida por Direcção de Viação de Lisboa em 57.12.09
Válida de 80.07.31 a 90.08.06

10. INDICAR POR MEIO DE SETA (→) O PONTO DE EMBATE INICIAL

11. DANOS VISÍVEIS
Pára-choques da frente, grelha e farol direito

14. OBSERVAÇÕES

15. ASSINATURAS DOS CONDUTORES
A: João Pedro Silva Pinho
B: M. Soares Duarte

* Em caso de ferimentos ou de danos materiais além dos relativos aos veículos A e B, facultar as indicações convenientes: nomes, moradas, etc...

Não alterar em nada esta declaração depois de assinada pelos 2 condutores e de separados os respectivos exemplares.

Ver participação do segurado no verso →

17.1 Na Repartição de Finanças:
Serviço de Pagamento de Impostos

Sr. Ferreira: Boa tarde. Eu recebi ontem este aviso para
vir cá... E reparei, por causa do carimbo
do Correio, que o postal já foi mandado há
mais de três meses...
mas a verdade é que eu só o recebi ontem!

Funcionário: Olhe, o senhor agora tem que pagar uma multa
porque isto está fora do prazo!

Sr. F.: Desculpe. O senhor não percebeu. Eu recebi
o postal ontem... se ele foi enviado há mais tempo a culpa não é
minha!...

Func : Mas isso não invalida o que eu disse.
Eu disse que o senhor tinha que pagar uma
multa, e é isso que o sr. tem que fazer...
É claro que o senhor poderá sempre apresentar
uma reclamação por escrito... mas a multa
tem que ser paga de qualquer maneira...

Sr. F.: E se eu reclamar o que é que acontece?

Func.: Se o senhor reclamar, e se eles lerem a sua
reclamação, o dinheiro em princípio é-lhe
devolvido... Mas tem sempre que pagar primeiro!

Sr. F.: Imaginemos que a minha reclamação não é
lida! O que é que acontece?

Func.: O dinheiro é depositado nos cofres do Estado.

Sr. F.: Bom... então suponhamos que eu não pago!

Func.: Nesse caso a multa será ainda mais pesada!

Sr. F.: Quer então dizer que sou preso por ter cão
e preso por não ter...

17.2 O sr. Guerreiro foi a uma livraria à procura de um livro de contabilidade, mas não levava indicação nem do nome do autor nem da editora, mas conhecia a capa!

Sr. G.: Minha senhora, eu ando à procura de um livro de
Contabilidade que já foi publicado há uns anos...

Emp.: Sabe qual é o título?

Sr. G.: Não, não me lembro...

Emp.: Mas pelo menos o nome do autor... ou da Editora, não?

Sr. G.: Ah... bem... quer dizer..: não, também não tenho ideia.
Mas sei que a capa é vermelha e tem uns números desenhados a branco...

Emp.: Bem, assim de momento não estou a ver! Nem sei se
haverá. Mas, se por acaso houver, está lá em cima
no 1.º andar. Espere um bocadinho, se não se importa,
que já vou ver se consigo encontrar...

Sr. G.: Com certeza.

Emp.: Ou então pode voltar cá mais para o fim da tarde,
que eu vou procurá-lo quando tiver um pouco mais de tempo...

Sr. G.: Está bem. Eu tenho tempo, posso voltar cá quando a
senhora quiser ou quando lhe der mais jeito...

Emp.: Ah sim, sim... Então apareça lá mais para o fim
da semana. Talvez eu o encontre até lá! Se tiver
tempo de ir à procura dele!

Sr G.: Ó minha senhora...

Emp.: Diga.

Sr G.: Mesmo que seja caro, eu não me importo...
Eu gasto o que for preciso para ter esse livro...

Emp.: Sim? Então porque é que não vai também procurar noutro lado?
Podia ir ver a um alfarrabista, por exemplo...

17.3 O Jaime Tavares gosta imenso de fazer pequenos testes para brincar com os amigos; diz ele que é uma maneira de os conhecer melhor!

Maria: Olá Jaime! Bom dia! Já não falas aos amigos?
Ias a pensar nos teus testes, aposto!

Jaime: Como é que adivinhaste?

Maria: Tu não costumas pensar em mais nada... Tens aí algum?
Se tiveres, e quiseres experimentar, eu não me importo de servir de cobaia!

Jaime: Óptimo! É para já! Vamos ver se tu orientas bem as tuas despesas ou se gastas muito dinheiro sem necessidade...

Maria: Eu? Eu até sou uma pessoa bastante poupada!

Jaime: Ora! Todos nós cometemos os nossos pequenos excessos de vez em quando, não achas? Só que uns às vezes exageram mais do que outros...
Podemos sentar-nos aqui! Então diz-me lá:
Se vires um vestido muito bonito numa montra e tiveres pouco dinheiro, o que é que fazes?

(1) Não resistes e vais pedir dinheiro emprestado?

(2) Ficas a olhar para a montra e a lamentar não teres dinheiro para o comprar? ou

(3) Continuas o teu caminho, esqueces o vestido e esperas uma melhor oportunidade?

Maria: Sempre que isso me acontece (e acontece com frequência) eu não resisto e vou pedir dinheiro ao meu pai...

Jaime: Hum... E se chegares a uma paragem de autocarro e se houver muita gente à tua frente, embora tenhas tempo, o que é que fazes?

(1) Ficas furiosa e apanhas o primeiro taxi que aparecer?

(2) Esperas pacientemente que chegue o autocarro? ou

(3) Achas que até é melhor ires andando a pé em vez de ficares à espera e vais apanhar o autocarro mais adiante?

Maria: Bom, é mais do que evidente que apanho um taxi!
Não estou para ficar à espera nem para andar a pé!

Jaime: E ainda achas que tu és poupada!?...

Formulando hipóteses:

IMAGINEMOS QUE	a reclamação não é lida!...
SUPONHAMOS QUE	eu não pago!

E SE	eu RECLAMAR?

Não sei se	HAVERÁ	algum ...
O senhor	PODERÁ	apresentar uma reclamação

A multa	SERÁ	muito mais pesada

Exprimindo duração de tempo impreciso:

			no fim da tarde
lá	mais	para	o fim da tarde
			o fim da semana

Talvez o encontre	ATÉ LÁ

Exprimindo uma acção progressiva:

...IAS A PENSAR...

É melhor	IR ANDANDO A pé...

Exprimindo recusa:

Não ESTOU PARA FICAR à espera

e admiração:

E AINDA achas TU QUE és poupada!

Perguntando indirectamente:

Vamos ver SE tu orientas as tuas despesas ou SE gastas muito dinheiro

Exprimindo uma condição:

O que fazes	SE	VIRES	um vestido bonito...?
		TIVERES	pouco dinheiro... ?

e uma possibilidade ou eventualidade:

SE QUANDO	o senhor	RECLAMAR
	eles	LEREM
	por acaso	HOUVER TIVER QUISERES DER

EUROCHEQUES:
vantagens e inconvenientes

As pessoas não gostam de trazer muito dinheiro consigo. Por isso, preferem pagar com cheques. Por outro lado, os comerciantes não gostam de receber cheques de desconhecidos e têm boas razões para isso. Os Eurocheques são cheques que o banco paga sempre, mesmo que excedam o saldo do depósito. Significam, assim, segurança para o comerciante e comodidade para o utilizador... até ao momento em que um acidente os faça passar para mãos indesejáveis. Nessa altura convertem-se em problema!

PRECAUÇÕES A TOMAR

- **Nunca assine Eurocheques antes de os utilizar.**
- **Não transporte em conjunto** (no mesmo bolso, na mesma carteira) **os Eurocheques e o respectivo cartão.**
- **Não os deixe no carro, nem sequer na bagageira ou no porta-luva.**
- **Não os traga todos consigo.**
- **Tenha todo o cuidado ao preenchê-los:**
  1. Escreva a quantia no princípio da primeira linha. Não deixe intervalos entre as palavras.
  2. Evite tanto quanto possível passar os cheques ao portador. Escreva o nome do beneficiário o mais completo possível. Evite as siglas.
  3. Faça um risco até ao fim das linhas.
  4. Uma precaução extra é cruzar antecipadamente os cheques que traz consigo. Assim eles só poderão ser depositados na conta dos beneficiários, e não pagos ao balcão.
  5. Se não vai utilizar os Eurocheques fora de Portugal escreva logo "escudos".

Isso evitará que sejam abusivamente recebidos no estrangeiro e em divisas.
  6. Faça um risco antes e a seguir aos algarismos.
  7. Escreva a data e o local em que os passou.

- **Os que se deixam em casa devem ficar em lugar seguro.**
- **Nunca os mande pelo correio.**
- **No caso de perda ou de roubo:**

  1. Queixe-se imediatamente à polícia na esquadra mais próxima.
  2. Telefone à sua agência bancária e peça que não os aceitem. Confirme por telegrama, indicando os números dos cheques roubados. Se não teve o cuidado de tomar nota deles mas assentou o número do último que utilizou, pode calcular a partir daí.

Tudo isto tem, porém, uma eficácia reduzida. Pelo facto de a extensão territorial dos Eurocheques ser tão grande, é quase impossível evitar que sejam pagos além-fronteiras. Já não é mau que não possam exceder 20.000$00 a 23.000$00 cada um. Mas mais vale tomar todas as precauções.■

Adapt. da Rev. "Proteste" n.º 45

DINHEIRO
como o gasta?

Quando, depois de pagar as despesas essenciais (renda da casa, contas de água, gás, alimentação, etc...) lhe sobra dinheiro, o que é que faz?

Guarda-o para compras futuras	*60%*
Investe-o para que renda mais	*18%*
Gasta-o imediatamente	*10%*
Não responde	*12%*

Em casa é você ou o seu marido quem costuma pagar as contas de...

	Ela	Ele
Electrodomésticos	*60%*	*48%*
Supermercado	*88%*	*19%*
Coisas para a casa	*88%*	*21%*
Vestuário	*84%*	*42%*
Contas, gás, etc.	*64%*	*41%*
Renda de casa	*56%*	*41%*
Manutenção do carro	*11%*	*46%*
Nenhuma, NR	*6%*	*24%*

Em que gasta mais dinheiro?

Roupas	*18%*
Livros	*4%*
Revistas	*2%*
Coisas para casa	*74%*
Divertimentos	*2%*

Adaptado da Rev. ELLE — Nov. 88

Para esta sondagem Elle - Norma foram realizadas 397 entrevistas entre os dias 30 de Agosto e 10 de Setembro. O universo do estudo é constituído por mulheres casadas, empregadas ou com rendimentos próprios, de idades compreendidas entre os 18 e os 64 anos e residentes em Lisboa e no Porto.

**18.1 O sr. Coelho queria chegar depressa no primeiro
dia do seu novo emprego... Estava tão entusiasmado
que esqueceu os conselhos tão conhecidos dos automobilistas,
e prometeu a si próprio que ia fazer a viagem, de 800 kms, de uma vez só...
sem parar.**

Era de noite... mais precisamente eram 23.45! Chovia torrencialmente!

O sr. Coelho ia a conduzir já há muito tempo. Tinha decidido
fazer a viagem toda de seguida, sem parar em parte nenhuma...
No entanto, começava a sentir-se cansado... começava a ter
dificuldade em ver a estrada... os olhos começavam a ficar mais pesados...
Mas ele sabia que não podia fechá-los... Se os fechasse... adormecia!
E se adormecesse... deixava de ver a estrada!
Se deixasse de ver a estrada... podia ter um acidente!
Se tivesse um acidente... podia ir para o hospital!
Se fosse para o hospital... podia morrer!
Se morresse... já não podia ir para o seu novo emprego...
Entretanto o carro ia deslizando... cada vez mais devagar...
a velocidade ia diminuindo...
o sr. Coelho ia pensando... e ia conduzindo...
Até que acordou na manhã seguinte, sentado ao volante do seu
carro, parado na berma da estrada, com o sol a bater-lhe na cara!
e... sem gasolina!... Ia chegar tarde ao seu novo emprego!

Mas apesar de tudo, o Sr. Coelho é um homem de sorte... Só teve
que ir à procura da bomba de gasolina mais próxima.

18.2 **Foram semanas esgotantes de trabalho na empresa onde a Mafalda e o Carlos trabalham, por causa da mudança de instalações e da reorganização dos serviços. Por isso o Carlos e a Mafalda estão a planear um fim-de-semana diferente, em que possam descansar um pouco...**

Carlos: Finalmente, um fim-de-semana em casa!...

Mafalda: Sim! Este fim-de-semana concordo que fiquemos em casa porque já não vai haver tempo de preparar quase nada... mas para o próximo... talvez pudéssemos alargá-lo e íamos para qualquer lado bem longe desta confusão...

Carlos: É uma boa ideia!

Mafalda: Apetecia-me mesmo fazer uma coisa que fosse diferente do habitual... Não sei o quê! Nem onde, mas palavra que me apetecia!

Carlos: Também a mim... E se fôssemos à Serra da Estrela? Não é muito longe... São 3 horas e meia de viagem.

Mafalda: Não sei... na Serra deve fazer frio...

Carlos: Ora! se fizer frio, passamos o tempo à lareira!

Mafalda: Mas para isso não é preciso sairmos de casa...

Carlos: Então diz tu o que é que te apetece. Eu faço o que tu quiseres.

Mafalda: A mim apetecia-me ir ao Algarve. Se o tempo estivesse bom, podíamos ir à praia. Se não podíamos, pelo menos, apanhar um pouco de sol numa esplanada... Estamos em Maio... nesta altura do ano o tempo não costuma estar muito mau...

Carlos: Hum-hum... É capaz de não ser má ideia, não... Se estivesse agradável até era capaz de ir fazer pesca submarina.

Mafalda: Tu?... só se a agua estivesse a mais de 20 graus...

Carlos: Ah, sim! sem dúvida! porque com água fria não tenho coragem nem para molhar os pés...

**18.3 Eu trabalho num armazém de produtos alimentares onde tenho que manter os caixotes todos arrumados.
O sr. Martins, o meu patrão, é uma pessoa dura, às vezes tem atitutes difíceis de compreender; São poucas as pessoas que gostam dele. No entanto, outras vezes é inesperadamente simpático! Como ontem, por exemplo...**

Ontem o Sr. Martins veio ter comigo e disse-me:
— 'Ó João, o que é que você dizia se eu o mandasse embora?
Bom, como é de calcular, fiquei horrorizado... Por isso mal consegui balbuciar:
—' Mas porquê, sr. Martins? Fiz alguma coisa errada?'
—' Não', disse ele. 'Lembrei-me de lhe perguntar, talvez você gostasse de sair daqui para ir para outro lado.'
—' Ora... Isso era se eu tivesse outro lado para onde ir!... mas com as dificuldades que há em encontrar emprego hoje em dia...'
E ele continuou, como se não tivesse ouvido o que eu disse:
—'Então e se eu lhe arranjasse outro emprego, onde você ficasse a fazer coisas que gosta mais e a ganhar mais também? Hum? O que é que me diz?'
—' Outro emprego?'
Eu nem queria acreditar! Devo ter feito uma cara de tal forma espantada que ele deu uma gargalhada e disse:
—' Oh homem, não se assuste assim. Não é caso para isso. Eu estou, de facto, a oferecer-lhe um novo emprego. E escolhi-o, porque gosto de si e sei que você se tivesse uma oportunidade deixava este armazém e ia fazer outra coisa.'

Sr. João

Exprimindo o início a acção:

Ele	COMEÇAVA	A	SENTIR-se cansado
			TER dificuldade em ver
Os olhos	COMEÇAVAM	A	FICAR mais pesados...

e a continuidade da acção (no
momento em que esta decorre):

(no futuro, em relação ao momento em que decorre a acção)

| O carro ia DESLIZANDO... |
| Ele ia CONDUZINDO... |

| Ele ia chegar tarde |

Reforçando a ideia:

| Mas PALAVRA QUE me apetecia! |
| Ah sim, sim. SEM DÚVIDA |
| Não gosto..., É VERDADE. |
| Eu ATÉ era capaz de fazer... |

Encontrar

| IR | TER | COM | |
| VIR | TER | COM | alguém |

Exprimindo eventualidade:

| SE | FECHASSE os olhos, adormecIA... |
| | FOSSE para o hospital... podIA ... |

| E SE | eu o MANDASSE embora? |

| SÓ SE | a água ESTIVESSE a mais de 20 graus... |

| COMO SE | não TIVESSE ouvido |

| APETECIA-me | uma coisa | QUE | FOSSE diferente... |
| | ir ao Algarve | SE o tempo | ESTIVESSE bom |

| Isso | ERA (verdade) | SE | eu TIVESSE outro ... |

"OS CHEFES"

São gente cheia de sorte...

Os chefes são gente cheia de sorte porque, como todos os subordinados sabem, **os dirigentes não têm nada que fazer.**

Excepto:
— Decidir o que há para fazer
— Dizer a alguém que o faça
— Ouvir as razões porque:
   — não se deve fazer isso
   — deve ser feito de outro modo
   — deve ser feito por mais alguém

— E depois encontrar argumentos convincentes para explicar porque se deve fazer
— Estar atento para ver se, de facto, se fez
— Descobrir que não se fez
— Evitar as desculpas da pessoa que o devia ter feito e não fez
— E encontrar argumentos para contestar as desculpas
— Estar atento pela segunda vez, para ver se a coisa se executou ou não
— Descobrir que se fez, mas mal
— Ensinar como se deveria ter feito
— Decidir que, como já está feito, é melhor deixar tal qual está
— Pensar se não chegou a altura de se desfazer de um tipo que nunca fez nada bem
— Pensar que essa pessoa tem mulher e filhos
— Mas que qualquer outro chefe se queria ver livre dele definitivamente
— Mas que, muito provavelmente, o substituto seria parecido, ou até pior...
— Pensar que teria sido muito melhor e mais rápido, que tivesse feito aquilo sem confiar em ninguém...
— E que se assim tivesse sido já estaria tudo pronto há imenso tempo...
— Mas compreender que se o tivesse feito ele próprio, teria tido um efeito desmoralizador sobre toda a organização porque teria substituído outro, deixando de fazer o seu próprio trabalho e desmentindo a maior certeza que os subordinados têm:

A de que os chefes não têm nada que fazer...

Revista "Dirigir" n.º 0

"A BOLA" e o Funcionalismo

O desenho é de Vilhena e vem a propósito de um estudo publicado na revista do Centro de Estudos Demográficos do INE, segundo o qual os funcionários públicos são a classe profissional que dura mais e a dos trabalhadores agrícolas a que "dura menos". É simples a explicação encontrada pelo "Fala Barato" (número de Agosto), de onde extraímos o "Boneco", com a devida vénia... Os funcinários públicos duram mais, porque trabalham menos: ou são técnicos e nem aparecem no serviço, ou são administrativos e passam o dia a ler o jornal, a fazer malha, a contar anedotas.

... O jornal, evidentemente, é a "A Bola" que, deste modo e além de outros méritos, contribui para a saúde e longevidade dos seus leitores. A legenda do desenho diz assim: *"Os funcionários públicos ganham pouco, é certo, mas pagam-se em bons tratos e levam uma vida santa. Das que chegam a netos"...*

"A Bola" Out. 88

DEZ RAZÕES PORQUE O SEU TEMPO NÃO LHE CHEGA

1. O telefone ocupa-lhe mais de metade do seu tempo útil de trabalho.

2. Participa em demasiadas reuniões, longas e quantas vezes sem qualquer resultado!

3. "Convive" em demasia: quantos intervalos para a bica faz por dia?, e quantas pessoas recebe por questões insignificantes?

4. Nunca consegue dizer não — daí que "não chega para as encomendas".

5. Não define objectivos nem prioridades, nem planeia diariamente o seu trabalho, age por reacção ao que lhe vai acontecendo...

6. Definiu com pouca clareza as funções e responsabilidades dos seus colaboradores.
Daí resultam delegações ineficazes e necessidade constante de controlar o trabalho dos outros.

7. Há decisões a tomar que se arrastam e os problemas não perdoam.

8. É muito desorganizado — a sua secretária cheia de papéis é um terrível sintoma disso...

9. Habitualmente "atira-se" a uma tarefa sem primeiro definir o que vai fazer.

10. Tem falta de autodisciplina: "saltita" de tarefa para tarefa sem acabar nenhuma.

Revista "Dirigir" n.º 1

AGRICULTORES MORREM CEDO

SER FUNCIONÁRIO PÚBLICO É BOM PARA A SAÚDE

SER funcionário público é bom para a saúde — eis uma conclusão que se retira de um estudo agora publicado pela revista do Centro de Estudos Demográficos (CED) do INE.

O estudo comparativo da taxa de mortalidade da população masculina trabalhadora por classe ocupacional, assinado por João Santos Lucas, mostra que os trabalhadores agrícolas são de longe os mais sacrificados, com uma taxa de mortalidade quatro vezes superior à dos empregados da administração pública no grupo etário dos 25 aos 64 anos.

O sector dos administradores, tanto públicos como privados, é o que apresenta a segunda taxa de mortalidade mais baixa, seguindo-se por ordem crescente de mortalidade as profissões liberais, os trabalhadores de serviços, os operários industriais, os pequenos empresários, trabalhadores por conta própria e técnicos de vendas, e, no topo da tabela, os trabalhadores agrícolas.

"A Capital", 13 de Julho de 1988

BLOCO 18

A GESTÃO DO TEMPO

SETE REGRAS DE OIRO PARA GERIR O SEU TEMPO

1. DEFINA QUAIS AS TAREFAS ESSENCIAIS

2. PLANEIE E ORGANIZE O DIA E A SEMANA

3. DELEGUE NOS SEUS COLABORADORES

4. ESTABELEÇA UM HORÁRIO

5. TENHA "PENSAMENTOS POSITIVOS" E DESENVOLVA A SUA AUTOCONFIANÇA

6. SEJA ARRUMADO

7. APRENDA A DIZER NÃO

Revista "Dirigir" n.º 1

19.1 O Eng. João Figueira tinha acabado de chegar ao gabinete quando o sr. Samuel lhe foi entregar o correio da manhã. Reparou logo na primeira carta, olhou para o remetente e viu: Fernando Cunha.

E enquanto abria a carta ia perguntando em voz alta:
— O que será que ele quer?
Para me escrever... é porque quer alguma coisa!
E começou a ler:
Meu caro amigo,
Espero que tudo vá bem por aí...
(blá, blá, blá... isto é a conversa do costume...)
Peço-lhe imensa desculpa por lhe escrever mais uma vez...
(Mas para que será tanta conversa...!!!)
... mas trata-se do meu filho...
(aqui está! eu já sabia...)
que acabou o curso de Gestão e Administração de Empresas. E o meu caro amigo sabe como é difícil hoje em dia arranjar emprego, sobretudo para os jovens que quiserem iniciar a sua vida de uma forma honesta e séria.
(pois... temos o Cunha a tentar meter uma cunha...)
Eu gostaria de lhe pedir uma oportunidade para que ele pudesse contactar com o mercado de trabalho.
Se houvesse a possibilidade de o deixar fazer um estágio, seria óptimo. Não seria necessário remunerá-lo pelo trabalho; só se o meu caro amigo chegasse à conclusão que ele correspondia às suas expectativas e que era um bom elemento para o quadro da Empresa.

Eu tenho a certeza que ele fará tudo o que puder e souber, porque é um rapaz muito honesto e exigente com ele próprio. Agradecendo antecipadamente toda a atenção que o meu caro amigo possa dispensar a este assunto, apresento-lhe os meus melhores cumprimentos.

Fernando Cunha

19.2 Quando ontem à noite fui ver a caixa do correio encontrei, entre cartas de vários Bancos e inúmeros panfletos publicitários, uma carta da empresa onde eu trabalho... Por momentos receei que fosse uma má notícia, mas era uma circular...

Guimarães, 22 de Junho de 1988

Cara/o Colega,

Um grupo de trabalhadores desta casa, em colaboração com o Conselho de Gerência, pensou organizar um breve curso de Informática, sem quaisquer fins lucrativos, que seria destinado não só aos trabalhadores da empresa que estivessem interessados, mas também a todas as pessoas que quisessem ampliar os seus conhecimentos gerais.

Este curso deveria ser orientado, de preferência, por técnicos especializados dos vários departamentos da nossa empresa que poderiam dividir entre si as várias tarefas e tempos de exposição e debate.

Para que esta ideia se concretize será necessário conhecer não só o número de técnicos que nela possam colaborar como também a sua disponibilidade.

Não tendo qualquer carácter de obrigatoriedade, este curso poderá realizar-se uma ou duas vezes por semana, conforme a disponibilidade e o número dos professores que nele queiram participar, podendo o horário ser combinado psoteriormente.

Gostaríamos de poder contar com a sua participação para levarmos até ao fim esta iniciativa. Nesse sentido agradecíamos que indicasse no Conselho de Gerência, o mais tardar até 15 de Julho, a sua disponibilidade.

Com os melhores cumprimentos,
Pelo Presidente do Conselho de Gerência,

e depois de a ter lido fiquei a pensar:

"Então, por que me teriam eles mandado esta carta?
Eu não tenho nada a ver com isto!... Sou apenas
o Presidente do Conselho de Administração!

19.3 Quando o Arquitecto Simões se reformou foi viver para a sua cidade natal; mas esta já não era aquela cidadezinha do interior que ele tinha deixado 30 anos antes...
Muita coisa tinha mudado. Muitas casa velhas foram demolidas para serem construídos grandes edifícios...
E o Cinema, que é um antigo edifício com decoração "Arte Nova" do princípio do século, também estava condenado: iria ser destruído dentro de alguns meses... a menos que aparecesse alguma proposta de recuperação.

Foi então que o Arq. Simões sentiu que se ele não tomasse a iniciativa também aquele Cinema iria desaparecer e ficaria perdido para sempre.
Ele tinha levado 35 anos a fazer trabalhos de gabinete.
Nunca tinha tido coragem para se meter em trabalhos de vulto...
Mas agora, depois de reformado, vai dar tudo por tudo para salvar aquele velho edifício! E há-de ir até ao fim enquanto continuar com saúde.
Já conseguiu que o seu projecto fosse aprovado e que lhe dessem o dinheiro necessário para as obras começarem dentro de poucos dias; e graças a ele o velho cinema há-de voltar a brilhar como nos outros tempos em que ele lá ia para ver filmes de "cow-boys"...
O Arq. Simões, em entrevista que deu ao jornal local, diz:
O edifício irá manter a fachada exterior; mas por dentro ficará completamente diferente. Terá 4 pisos em vez do piso único que tinha; e assim será possível pôr a funcionar um Centro para manifestações culturais, quaisquer que elas sejam.
Terá duas salas de projecção, que também poderão ser usadas para conferências, um bar e sala de convivio. um ginásio e muito, muito espaço... Prevê-se que parte dele seja ocupado por uma biblioteca; mas isso só será possível quando houver dinheiro para comprar livros!
Todas as pessoas hão-de encontrar aqui um espaço para elas.
Pelo menos essa é a minha intenção.

Formulando um pedido:

Eu	GOSTARIA	de lhe pedir ...
	GOSTARÍAMOS	de poder contar consigo...

Exprimindo uma opinião:

Este curso	DEVERIA	ser orientado...
	PODERIA	realizar-se ...

Denotando surpresa (em frases interrogativas):

Porque me TERIAM eles mandado esta carta?

Exprimindo uma finalidade:

PARA QUE	ele PUDESSE contactar com...
	esta ideia se CONCRETIZE...

Apresentando uma previsão:

PREVÊ-SE QUE SEJA OCUPADO POR uma biblioteca.

TENHO A CERTEZA QUE ELE FARÁ tudo o que puder

Formulando uma hipótese:

A MENOS QUE	APAREÇA	alguém
	APARECESSE	alguma proposta

Para os empregados QUE	ESTIVESSEM	interessados
	ESTIVEREM	

Iniciando uma carta formal:

Exmo(s). Senhor(es)
Exmo. Sr. Director

Concluindo a carta:

> Agradecendo a atenção dispensada,
> Apresentamos a V.Exa(s). os nossos melhores cumprimentos...

> Com os meus(/nossos) muito respeitosos cumprimentos...

> Sem outro assunto, subscrevo-me atentamente ...
> De V.Exa(s)., respeitosamente,

Indicando factos certos ou prováveis posteriores ao
momento em que se passa a acção:

| O edifício | IRÁ | manter a fachada exterior |
| | TERÁ | quatro pisos |

marcando a eventualidade:

> Mas isso só SERÁ possível QUANDO HOUVER dinheiro

Exprimindo certeza na acção futura imediata:

> Ele VAI DAR TUDO POR TUDO...

Exprimindo a intenção de realizar a acção:

> Ele HÁ-DE IR ATÉ AO FIM enquanto tiver forças

| O velho cinema | HÁ-DE | VOLTAR a brilhar |
| As pessoas | HÃO-DE ENCONTRAR aqui um espaço . |

Indefinição e eventualidade:

| QUALQUER | QUE | SEJA |
| quáisquer | que | sejam |

| HAJA | O | QUE | HOUVER |

Quer ser diplomata?

Prepare-se que o caminho é difícil. Mas se tiver sorte e mais qualquer coisa, acabará por achar que é "um privilegiado". O primeiro passo é passar no concurso. Sem isso, nada feito.

Ao fim de dois anos como adido de embaixada, pode ser reclassificado. Mas não se preocupe, que é pró-forma: "quem lá põe o pé, nunca mais sai".

Chegar a conselheiro é um marco importante. A partir daí já pode chefiar uma missão (mas é bastante raro) e ser tratado por embaixador. O grau seguinte é ministro de 2.ª. Você já passou por muito e pode ser nomeado Director-Geral (nesse caso dirão muito mal de si). A partir daqui já é só com o ministro. Dê tudo por tudo pois se conseguir chegar a ministro de 1.ª passa a fazer parte da "nata". Depois, parabéns, senhor embaixador!

MINISTRO	EMBAIXADOR
SECRETÁRIO DE ESTADO	MINISTRO DE 1.ª
DIRECTOR-GERAL	MINISTRO DE 2.ª
SUBDIRECTOR-GERAL	CONSELHEIRO DE EMBAIXADA
DIRECTOR DE SERVIÇOS	2.º SECRETÁRIO
CHEFE DE DIVISÃO	1.º SECRETÁRIO
	ADIDO DE EMBAIXADA

Rev. SÁBADO, 2 Julho 88

Sr. Empresário faça seu o nosso projecto

...abra as portas da sua empresa à formação de jovens

Uma Empresa é, sobretudo, uma organização de bens e serviços mas é, igualmente, um pólo de "saber de experiência feito" cuja importância para o desenvolvimento económico do país é tanto maior quanto mais amplos forem os seus reflexos no meio em que está inserida. A empresa pode ser, igualmente, um espaço instrumental para a formação das gerações mais novas.

Consiste numa Formação Geral e Tecnológica, ministrada em Centros de Formação — tendo por objectivo o desempenho qualificado de uma profissão — e o contacto com a realidade de um posto de trabalho numa Empresa, obtendo aí uma Formação essencialmente prática.

A empresa celebra com o aprendiz um contrato de aprendizagem com a duração do tempo de formação do curso não vinculando qualquer da partes a um futuro contrato de trabalho.

com as seguintes vantagens

Ao receber jovens-aprendizes, a sua Empresa pode contar com apoios especiais:

- Apoio financeiro, a fundo perdido, para pagamento de formadores e monitores durante a formação;

- Apoio financeiro às despesas de funcionamento da acção de formação;

- Possibilidade de obter financiamentos reembolsáveis isentos de juros, para a aquisição de equipamentos e melhoria de instalações com vista às acções de formação em Aprendizagem;

- Comparticipação no pagamento das bolsas de formação dos jovens aprendizes: total no 1.º ano e percentual nos anos seguintes;

- Apoio técnico e pedagógico do Instituto do Emprego e Formação Profissional;

- Possibilidades de dispor de profissionais competentes e conhecedores da Empresa no final da formação.

PRÉMIOS CONSERVAÇÃO DA NATUREZA E DO PATRIMÓNIO HISTÓRICO-CULTURAL 1988

BOLETIM DE INSCRIÇÃO

Enviar a:

Secretaria dos Prémios Conservação da Natureza e do Património Histórico-Cultural
Praça Duque de Saldanha, n.º 31 - 1.º • 1000 LISBOA

LEIA E SIGA COM ATENÇÃO AS INSTRUÇÕES DADAS NO VERSO DESTE BOLETIM.

Categoria do Projecto

Denominação do Projecto

Nome da pessoa/grupo/organização concorrente

Nome do responsável pelo Projecto

Endereço completo:

Telefone:
Profissional   Particular

Idade do autor(es) do Projecto (se aplicável)

Data de início do Projecto

Tempo utilizado no Projecto

Data de conclusão do Projecto

Gastos já originados pelo Projecto

Fontes de financiamento e valores respectivos

Custo total do Projecto (subvenções, patrocínios, fundos próprios, etc.)

Assinatura do responsável pelo Projecto

Os Prémios Conservação da Natureza e do Património Histórico-Cultural são organizados pelas Secretarias de Estado do Ambiente e da Cultura, com o apoio da Ford Lusitana, S.A., e integram-se no Programa Europeu de Prémios Conservação que engloba 14 países.

Os Prémios visam incentivar a iniciativa e participação de todos os indivíduos, jovens ou adultos, de escolas e grupos comunitários, incluindo associações culturais, desportivas e recreativas ou de moradores e, ainda, de empresas comerciais e industriais, no desenvolvimento e implementação de acções de conservação da natureza e do património histórico-cultural de Portugal.

Procuram fomentar a ideia de que questões como as da conservação da fauna ou da flora, dos recursos energéticos, de edificações antigas, ou de equipamentos, artes ou ofícios que caracterizam uma época e constituem riqueza histórico-cultural nacional, dizem respeito e interessam a toda gente e não apenas ao Estado, às autarquias locais ou a grandes organizações ligadas à conservação.

Os Prémios abrangem quatro categorias de projectos e poderão ser atribuídos tanto a trabalhos em fase de ante-projecto como a acções já em curso ou recentemente realizadas. Os seus autores poderão ser indivíduos, grupos, colectividades ou empresas privadas.
Não podem participar organismos ou departamentos estatais ou autárquicos.

O vencedor de cada uma das categorias de projectos receberá, como prémio, um troféu e 200.000$00.
O vencedor nacional, seleccionado entre os quatro vencedores de categoria, será premiado, adicionalmente, com um troféu especial e 350.000$00 e participará na final europeia que terá lugar em Dublin, na Irlanda, em Dezembro de 1988, cujo prémio é de US$10.000.

CONSERVAÇÃO RURAL

Projectos que visem a conservação/recuperação de áreas rurais, ou a redução do consumo de recursos energéticos esgotáveis como carvão, minério de ferro, petróleo e seus derivados ou gás.

Ex.: Protecção de vida animal, criação de bosques, beneficiação da orla marítima e de rios, defesa de charnecas, campanhas ecológicas, inventariação/preservação de espécies vegetais, etc.

CONSERVAÇÃO URBANÍSTICA

Projectos que visem a conservação/recuperação de áreas urbanas ou a redução dos índices de poluição.

Ex.:Restauração de parques ou jardins, plantios de arvoredo, arranjo de lagos, limpeza e cultivo floral de espaços vazios, conservação de zonas degradadas em espaços verdes, etc.

A Marta já estava de saída quando a mãe lhe entregou uma carta que o carteiro tinha acabado de deixar na caixa do correio.

Marta: ·Oh! uma carta da Lisa!
Que dirá ela? Cheguei a pensar que ela se tivesse esquecido de mim... Palavra! Depois de eu lhe ter mandado tantos postais...

Mãe: Ó filha! Felizmente que nem toda a gente é como tu... As pessoas normalmente têm mais que fazer do que escrever postais todos os dias...

Marta: Olha mãe! ela quer que eu e o João façamos as malas e vamos passar 2 semanas ao Rio... Está aqui... Vou já telefonar ao João para combinarmos como vamos fazer...

Mãe: Tem calma menina... Talvez seja bom pensares também nos exames que ainda tens para fazer! E no dinheiro, que talvez não tenhas, para a viagem!...

Marta: Oh Mãe! não me lembres coisas tristes! Fiquei de me encontrar com o João esta tarde, logo vejo o que é que ele diz!

Pobre Marta! Não imaginava a decepção que iria ter... o João não podia ir; Tinha começado a trabalhar e só teria direito a férias dentro de um ano! Antes disso era impossível...

João: Pois é Marta! Não creio que possa aceitar o convite... Bem vês, comecei a trabalhar há duas semanas... não posso meter férias assim sem mais nem menos!

Marta: Ora! E se faltasses? Toda a gente pode faltar de vez em quando, não é?

João: Não é bem assim. Não se pode faltar sem uma justificação forte... Se eu for dizer ao meu chefe que agora quero ir passear ao Brasil ele muito provavelmente despede-me e substitui-me por outro...

Marta: Então e se metesses um atestado médico? Fazias de
conta que estavas doente... Era uma mentirazita
sem importância... Seriam só duas semanas...

João: Achas pouco? Não. Não contes comigo. Vai tu
se quiseres, eu gostaria de ir... E hei-de ir! Só
que não sei quando... Portanto é melhor não esperares por mim!

Marta: Mas os meus pais não me deixam ir sozinha! Se tu
fosses... eles deixavam-me ir contigo!

João: Marta, tu terás outras oportunidades... Não vais
este ano... não faz mal: vais para o ano! Além
disso tu tens que pensar nos teus exames; isso
parece-me muito mais importante do que uma viagem ao Brasil!

Marta: Mas que discurso chato! Já pareces os meus pais a falarem

João: Ora... tu sabes perfeitamente que tenho razão!
Vamos escrever à Lisa explicando as razões por que
não podemos aceitar o convite dela este ano; ela
há-de compreender...

Marta: ... mas será que nos renova o convite para o próximo ano?

João: Ó Marta! que ideia é que tu fazes da Lisa? Ela
não nos vai esquecer assim tão depressa!
A propósito... ela deve estar quase a fazer anos!

Marta: Ah! Pois é! É já para o mês que vem...
E se lhe mandássemos uma lembrança portuguesa?
Não sei o que é que há-de ser!

João: Se calhar não era má ideia comprarmos um livro
sobre Portugal. Há muita coisa... desde Igrejas a
Palácios, passando por Aldeias e Jardins, encontra-se um pouco de tudo...

Marta: E que tal um livro de Gastronomia?... ou de histórias... Lembras-te como
ela gostou das lendas que tu lhe contavas de vez
em quando a propósito das visitas que íamos fazendo?

João: É verdade. Que ideia óptima que tu tiveste. Não
sei se haverá algum livro sobre Lendas Portuguesas, mas se houver é
esse mesmo que nós vamos comprar.

Marta: Se não houver, haverá pelo menos um galo de Barcelos!....

A lenda do Galo de Barcelos

Conta-se que há cerca de 400 anos passou por Barcelos um romeiro galego a caminho de Santiago que foi acusado pelos habitantes de ter cometido um crime. Por mais que alegasse que estava inocente, não o acreditaram e condenaram-no à forca. Quando estava para ser enforcado exigiu que fosse à presença do Juiz declarar a sua inocência.

Nessa altura o Juiz estava à mesa com os amigos num lauto banquete, onde tinham um frango assado. Como se risse e não acreditassem na sua inocência disse: "É tão verdade eu estar inocente, que esse frango cantará quando eu estiver a ser enforcado".

Todos se riram à custa do peregrino, mas o que ninguém acreditava tornou-se realidade. Quando estava a ser enforcado o galo levantou-se e cantou!

O Juiz corre à forca e com espanto vê o romeiro com a corda ao pescoço mas o nó lasso, impedindo assim o estrangulamento.

Imediatamente solto, foi mandado em liberdade e passados anos voltou a Barcelos e fez erguer o Monumento em louvor à virgem e a Santiago. Este cruzeiro encontra-se no Museu Arqueológico da cidade.

"Viva Voz" n.º 30

A

Abraço
Acabado
Acalmar
Aceitar
Acidente
Acontecer
Acordar
Actividade
Açúcar
Adiante
   mais adiante
Adivinhar
Adoentado
Administração
Adormecer
Adversário
Afinal
Agradar
Ainda
   ainda por cima
   ainda mais
Alargar
Álcool
Aldeia
Alfabarrabista
Alho
Aliás
Alimentar
Almoço
Altura
   altura em que
   em qualquer altura
   nessa altura
   a meia altura
Alugado
Alugar
Amanhã
Amizade
Amor
Ampliar
Análise
Animar
Anos
   fazer anos
Antecedência
Antecipado
Anterior
Apagar
Apanhar
Apenas
Apercerber(-se)
Apesar
   apesar de
   apesar de tudo
Apostar
   aposto
Apreciar
Aprender
Aprovar
Aproveitar
Apurar
Armazém
Arranjar
Arranjo
Arrepender
Arroz
Arrumado
Arte
Aspecto
Assim
   sendo assim
   mesmo assim
   é assim mesmo
   não é bem assim
Assunto
Até
   até ao fim
Assustar
Atenção
Atestado
Atitude
Atrás
   voltar atrás
Atraso
Atravessado

Automobilista
Autor
Ave
Aviso
Azeite

B

Balança
Balbuciar
Banco
Bastante
Batata
Bater
Berma
Bife
Boa-viagem
Bomba
   bomba de gasolina
Braço
Brando
Breve
   em breve
Brilhar
Brincar

C

Cabeça
   Que cabeça a minha!
   pôr/ter a cabeça no lugar
Caixa
Calcular
Caldo
Calar(-se)
Caminho
Campeonato
Cansado
Cão
Capa
Capacidade
Capaz
   ser capaz (de)
Capital
Carácter
Cara
Característica
Carimbo
Carteiro
Cassete
Causa
   por causa de
Cavalo
Cenoura
Central
Céu
Champanhe
Chato *(fam.)*
Chefe
Chorar
Cigarro
Circular
Cobaia
   servir de cobaia
Coelho
Cofre
Coitado
Colaboração
Colaborar
Colecção
Colher
Colocado
Combinar
Cometer
Companhia
Competição
Complicado
Complicar
Compreender
Concerto
Concluir
   resumindo e concluindo
Conclusão
   chegar à conclusão
Concordar
Concretizar
Condenado

Condução
Conferência
Confiar
Conforme
Conhecer
Conhecido
Conhecimento
Conselho
Consolar
Construído
Consulta
Consultório
Contabilidade
Contactar
Contente
Continuar
Contrário
   de contrário
Contra
Controlar
Convívio
Coragem
Corpo
Corresponder
Cortar
Costa
Costas
Costume
   é (o) costume
   como de costume
Cozer
Cozido
Cozinhar
Crítica
Criado
Criança
Criar
Cuidado
Culpa
   ter culpa
   a culpa não é minha
Cultural
Cumprimento(s)
Cunha

D

Dantes
Dar
   dar tudo por tudo
   dar jeito
   dar uma gargalhada
   quem me dera
Debate
Decepção
Decidido
Decidir
Deitar
Deixar
   deixar de
Demolir
Dente
Dentro
   dentro de
Departamento
Depender

   depende de
Depositado
Depositar
Desatar
Descansar
Desconfiar
   desconfiar de
Desenhar
Desistir
Deslizar
Desolado
   ficar desolado
Despedir(-se)
Despedida
Despesa
Desporto
Destinado
   destinado a
Destruído

Detestar
Devagar
Dever
Devido
  devido a
Devolver
Dia
  hoje em dia
  todos os dias
  todo o dia
Diferente
Difícil
Diminuir
Direcção
Direcção-Geral
Discurso
Dispensar
Disponibilidade
Distracção
Distraído
Distrair
Diverso
Divertido
Dizer
  quer dizer
Dobrar
Doce
Doente
Doer
Doído
Dor
Duro
Duvidar

E

Edifício
Editora
Elemento
Emagrecer
Emprego
Empresa
Emprestado
  pedir emprestado
Encomenda
Engordar
Enquanto
Entanto (elem.adv.loc.)
  no entanto
Então
Entender
Entregar
Entretanto
Entusiasmado
Enviado
Enviar
Errado
Escolher
Escrever
Escrita
Escrito
Esgotante
Espaço
Espantado
Espanto
Especial
Especializado
Especiarias
Esperar
  à espera
  espero bem que sim
Estado
Estágio
Estender
Estômago
Estrada
Estragar
Estrela
Eufórico
Evidente
  é evidente que
Exagerar
Exagero
Exame
Excelente

Excesso
Exercício
Exigente
Existir
Expectativa
Experimentar
Explicar
Expor
Exposição
Exposto
Extensão
Exterior

F

Fachada
Fácil
Falta
  fazer falta
  ter falta de
Faltar
Famoso
Farinha
Fazer
  não faz mal
  não faz falta
  fazer anos
Feijão
Feito
Felicidades
Feliz
Feriado
Ferver
Filme
Fim
  no fim (de)
  até ao fim
Finanças
Firme
Física
Físico
Flutuar
Fogo
Folha
Força
Forma
  de tal forma que
Formar
Forno
Forte
Frágil
Frequência
Fritar
Frito
Funcionar
Funcionário
Furado
Furar

G

Galeria
Ganho
Garantir
Gargalhada
  dar uma gargalhada
Gasóleo
Gasolina
Gastar
Gasto
Gastronomia
Gémeos
Geral
Gerência
Gestão
Gesto
Ginásio
Ginástica
Giro
Gordura
Graças
  graças a
  ter graça
Grainha

Grau
Grave
Grelha
Grelhado
Grupo
  em grupo

H

Hábito
Habitual
Haver
  há mais
  há quem diga
Haver-de
Hepatite
Hipódromo
Hipótese
História
Hoje
  hoje em dia
Honesto
Horrorizado

I

Ideia
  não fazer ideia (nenhuma)
  não ter ideia (nenhuma)
Igreja
Ilha
Imaginação
Importante
Impossível
Imposto
Inúmero
Incompleto
Indicação
Indicar
Inesquecível
Informática
Ingénuo
Ingrediente
Iniciar
Iniciativa
  tomar a iniciativa
Instalação
Inteiro
Intenção
Interessado
Interessante
Internacional
Interpretado
Invalidar
Inventar
Iogurte
Irritado
Irritar

J

Já
  é para já
Jamais
Jardim
Jeito
  dar jeito
  não faz nada jeito
  ter jeito para
Joelho
  em cima do joelho
Jogado
Jogador
Jovem
Juntar
Justificação

K

Kg.
Km.

L

Lá

145

sei lá
vá lá
Lado
    outro lado
    em qualquer lado
Lamentar
Lareira
Legume(s)
Lembrança
Lenda
Limão
Líquido
Livraria
Livro
Local
Longo
Louco
Louro
Lucrativo

M

Magro
Maior
Mais
    cada vez mais
    mais ou menos
    sem mais nem menos
    o mais tardar
Mal
    não faz mal
Malta *(fam.)*
Mandar
Maneira
    de tal maneira
Manifestação
Manter
Mão
    em mão
Maravilha
Marcar
Massapão
Média
Mel
Menos
    a menos que
    sem mais nem menos
Mensagem
Mentira
Mercado
Mexer
Molhar
Molho
Morrer
Mudança
Mudar
Multa
Músculo

N

Nacional
Nadar
Não
    não faz mal
Natação
Natal
Necessário
    é necessário
Necessidade
Negro
Nem
    nem sequer
    sem mais nem menos
Nervoso
Nordeste
Normal
Notícia
Nunca
    nunca mais

O

Obra
Obrigatoriedade

Observar
Ocupado
Ocupar
Oferecer
Oficina
Óleo
Olho(s)
Oportunidade
Ordem
    em ordem
Organizar
Orientado
Orientar
Origem
Outro
    outros tempos
    outra vez
    outras vezes
Ouvido

P

Paciência
Paciente
Pagamento
Palavra
    Palavra
Panfleto
Paquete
Parabéns
Parado
Paraíso
Parar
Parcial
Participação
Participar
Partida
Partido
Partir
    a partir de
Passado
Pássaro
Patrão
Pedal
Pedir
    pedir emprestado
Pegar
Peixe
    peixe-voador
Pele
Perna(s)
Pesar
Pesca
Peso
Péssimo
Piano
Picar
Pimenta
Pimento
Pinta
Pintado
Pintar
Pintor
Piripiri
Piso
Planear
Pneu(s)
Poder
    pode ser
    pode ser que seja
Polpa
Polvo
Portanto
Posição
Possibilidade
Possível
    é possível
Posterior
Posto
Poupado
Praticar
Prazo
    estar dentro do prazo
    estar fora do prazo
Preciso

Predominar
Preferência
Preguiça
Prenda
Prender
Preocupado
Preocupar
    preocupar-se com
    não se preocupe
Preparar
Presidente
Preso
Pressão
Presunto
Prever
Princípio
    em princípio
Produto
Professor
Profissional
Progresso
Projecção
Projecto
Prometer
Prometido
Proposta
Provocar
Publicar
Publicitário

Q

Quadro
Quaisquer
    quaisquer que sejam
Qualidade
    de (boa) qualidade
Qualquer
    de qualquer maneira
    qualquer coisa
    qualquer que seja
Quantidade
    em (pouca) quantidade
Quem
    há quem diga
    quem me dera
Questão
Quilo
Quilómetro

R

Ramo
Raquete
Reacção
Realizar
Recado
Recear
Receita
Recibo
Reclamação
Reclamar
Recomeçar
Recuperação
Reduzir
Refogado
Reformado
Reformar
Registar
Regular
Rejeitar
Remetente
Remunerar
Renovar
Reorganização
Reparar
Repartição
Repetir
Reprovar
Resposta
Resto
Resultado
Resumir
    resumindo e concluindo
Retirar
Rir

S

Sal
Salsa
Salvar
Saudável
Saúde
Secar
Secção
Secretária
Seguida
  de seguida
Seguir
  a seguir
Seguros
Selo
Sem
  sem mais nem menos
Sempre
  para sempre
Senão
Sendo
  sendo assim
Sensação
Sensacional
Sensibilidade
Sensibilizar
Sensível
Sentido(s)
Sequer
  nem sequer
Serra
Serviço
  em serviço
Servir
  servir de cobaia
Simples
Sobressalente
Sobretudo
Solo
Som
Sonhar
  sonhar alto
Sonho
Sopa
Sozinho
Submarino (adj.)
  pesca-submarina
Substituir
Supor
  Supunhamos que
Surpresa

T

Tal
  de tal maneira que
Tardar
  o mais tardar
Tarefa
Técnico
Tempo(s)
Ter
  ter razão
  ir ter com
  vir ter com
  ter falta de
  ter a ver com
Terra
Teste
Tinto
Título
Tomate
Tonto
Tornar
Torrencial
Tostar
Trabalhador
Trabalho
  trabalho de vulto
Transformar
Transmitir
Tratar(-se)
Travão
Treinar
Tremer

Tudo
  um pouco de tudo
Turismo

U

Último
Único
Usado

V

Vela
  barco à vela
Velho
Velocidade
Ver
  ter a ver com
Vez(es)
  cada vez mais
  de vez em quando
  em vez de
  outra vez
  a primeira vez
  a útima vez
  às vezes
  muitas vezes
  várias vezes
Vida
  que vida!
Vir
  vir ter com
Visita
Visitar
Vista
  à primeira vista
Volante
Voltar
Voz
  em voz alta
Vulcânico
Vulto

APÊNDICE LEXICAL

1. Cronologia

1.1 DIVISÃO DO TEMPO

Ano
Estação
Mês
Semana
Fim-de-semana
Dia
Noite
Hora
Minuto
Segundo

1.2 MOMENTOS DO DIA

Manhã
Tarde
Noite
Meio-Dia
Meia-Noite

1.3 RELAÇÕES DE TEMPO

Hoje
Ontem
Amanhã

1.4 DIAS DA SEMANA

Segunda-Feira
Terça-Feira
Quarta-Feira
Quinta-Feira
Sexta-Feira
Sábado
Domingo

1.5 MESES DO ANO

Janeiro
Fevereiro
Março
Abril
Maio
Junho
Julho
Agosto
Setembro
Outubro
Novembro
Dezembro

1.6 ESTAÇÕES DO ANO

Primavera
Verão
Outono
Inverno

1.7. ÉPOCAS FESTIVAS

Natal
Carnaval
Páscoa

2. PONTOS CARDEAIS

Norte
Sul
Este
Oeste

3. NOMES DE PARENTESCO

Marido	Mulher
Pai	Mãe
Filho	Filha
Irmão	Irmã
Avô	Avó

4. CORES

Amarelo
Azul
Bege
Branco
Castanho
Cinzento
Cor-de-laranja
Cor-de-rosa
Preto/Negro
Verde
Vermelho/Encarnado

NUMERAIS

Cardinais

0 Zero
1 Um, uma
2 Dois, duas
3 Três
4 Quatro
5 Cinco
6 Seis (meia dúzia)
7 Sete
8 Oito
9 Nove
10 Dez (uma dezena)
11 Onze
12 Doze (uma dúzia)
13 Treze
14 Catorze
15 Quinze
16 Dezasseis
17 Dezassete
18 Dezoito
19 Dezanove
20 Vinte
21 Vinte e um, vinte e uma
22 Vinte e dois, vinte e duas
etc.
30 Trinta
40 Quarenta
50 Cinquenta (meio cento)
60 Sessenta
70 Setenta
80 Oitenta
90 Noventa
100 Cem (um cento)
101 Cento e um, cento e uma
102 Cento e dois, cento e duas
etc.
200 Duzentos (as)
300 Trezentos (as)
400 Quatrocentos (as)
500 Quinhentos, (as)
600 Seiscentos, (as)
700 Setecentos, (as)
800 Oitocentos, (as)
900 Novecentos, (as)
1000 Mil
1001 Mil e um, mil e uma
etc.
2000 Dois mil, duas mil
3000 Três mil
4000 Quatro mil, etc.
10000 Dez mil
1000000 Um milhão
etc...

Ordinais

1.º Primeiro	1.ª Primeira
2.º Segundo	2.ª Segunda
3.º Terceiro	3.ª Terceira
4.º Quarto	4.ª Quarta
5.º Quinto	5.ª Quinta
6.º Sexto	6.ª Sexta
7.º Sétimo	7.ª Sétima
8.º Oitavo	8.ª Oitava
9.º Nono	9.ª Nona
10.º Décimo	10.ª Décima
11.º Décimo primeiro	11.ª Décima primeira
12.º Décimo segundo etc.	12.ª Décima segunda etc.

Sistema Monetário

	Informal	*Formal*

$50 = cinco tostões — cinquenta centavos
1$00 = dez tostões — um escudo
1$50 = quinze tostões — um escudo e cinquenta centavos

2$00 = — — dois escudos
2$50 = vinte e cinco tostões ou dois e quinhentos — dois escudos e cinquenta / dois e meio

3$00 = três escudos
3$50 = três e quinhentos

NOTA

Forma popular de $50:

1$50 = um e quinhentos
2$50 = dois e quinhentos
3$50 = três e quinhentos
      (...)
55$50 = cinquenta e cinco escudos e cinquenta centavos
101$50 = cento e um e quinhentos
278$50 = duzentos e setenta e oito e quinhentos

Operações Matemáticas

(+) A soma (adição) — somar (5 mais 5 é igual a 10)
(-) A subtracção — subtrair (10 menos 5 é igual a 5)
(×) A multiplicação — multiplicar (10 vezes cinco é igual a 50)
(:) A divisão — dividir (10 a dividir por 5 é igual a 2)

Algumas Unidades de Medida

de comprimento	*de capacidade*	*de peso*:
mm. milímetro	cl. centilitro	gr. (o) grama
cm. centímetro	dl. decilitro	kg. (o) quilo
dm. decímetro	l. litro	(...)
m. metro	(...)	
dam. decâmetro		
hm. hectómetro		
km. quilómetro		

Alfabeto da língua portuguesa

a	A	(á)	h	H	(agá)	p	P	(pê)
b	B	(bê)	i	I	(i)	q	Q	(quê)
c	C	(cê)	j	J	(jota)	r	R	(erre)
d	D	(dê)	l	L	(ele)	s	S	(esse)
e	E	(é)	m	M	(eme)	t	T	(tê)
f	F	(efe)	n	N	(ene)	u	U	(u)
g	G	(gê ou guê)	o	O	(ó)	v	V	(vê)
						x	X	(xis)
						z	Z	(zê)

APÊNDICE GRAMATICAL

A CLASSES DE PALAVRAS

1. O Artigo
2. O Nome
3. O Adjectivo
4. O Pronome
5. O Verbo
6. O Advérbio
7. A Preposição
8. A Conjunção
9. A Interjeição

B FRASES SIMPLES

Declarativa
Enfática
Exclamativa
Imperativa
Interrogativa
Negativa
Passiva

C FRASES COMPLEXAS

Coordenada
Subordinada
Comparação
Discurso Directo e Indirecto

CLASSES DE PALAVRAS

Nome:	*Lisboa;* o *Pedro;* o *amigo,* os *serviços*
Artigo:	*a* Teresa; *os* serviços;
Adjectivo:	o Pedro é *simpático;* serviços *administrativos;*
Numeral:	número *124*
Pronome:	*ele* é simpático *quem é ele*??...
Verbo:	eu *estou* óptima *vamos* todos não *tenho* tempo
Advérbio:	gosto *muito* de...
Preposição:	vou *para* a biblioteca
Conjunção:	são grandes *e* pesados
Interjeição:	Oh!; Olá, viva!...

A - CLASSES DE PALAVRAS

1 O ARTIGO

Precede o Nome e concorda com ele em género e número.

1. Artigo Definido

	masculino	feminino
singular	O	A
plural	OS	AS

Ex.:
[1.1] É o Carlos Santos
[1.2] Vou para a Biblioteca

NOTA:
Os artigos definidos **não se usam** antes de:
1. Nomes de meses
   Ex.: [6.1] Estamos em Junho
2. Datas
   Ex.: [6.1] É 1 de Julho
3. Vocativos
   Ex.: [1.2] Olá Teresinha

4. Nome de lugares
   Ex.: [2.3] Moro em Cascais
   Excepto quando estes coincidem com nomes comuns:
   Ex.: [0.0] Sou do Rio de Janeiro
   [5.0] Foram ao Porto
5. Alguns nomes de países
   Portugal; Marrocos; Cuba;
   Macau; Cabo Verde; Angola;
   Moçambique; Israel.

2 Artigo Indefinido

	masculino	feminino
singular	UM	UMA
plural	UNS	UMAS

Ex.: [1.4] *Toma um café?*
[1.4] *Está aqui uma senhora...*

NOTA

No plural tem uso restrito.

2 O NOME

Designa os seres em geral.

Ex.: [2.1] *A rua*
[2.2] *O número*

3 O Género

Regra geral: São masculinos os nomes terminados em -O;
São femininos os nomes terminados em -A;

Ex.: [1.3] *O amigo*
[1.2] *A senhora*

NOTA

Mas são masculinos os nomes:
O dia; o mapa;
O cinema; o problema; o telefonema;
O panorama; o planeta; etc.

E são femininos nomes como
A alimentação; a condução; etc.

4 Formação do Feminino

| - O $\longrightarrow$ - A |

Ex.:
[2.5] *O enfermeiro   A enfermeira*
[2.6] *Um amigo   Uma amiga*

| - U |
| - R $\longrightarrow$ - A |
| - S |

Ex.:
[1.4] *O Director — A Directora*
[2.4] *O Português — A Portuguesa*

| - ÃO $\longrightarrow$ - Ã |
| - OA |
| - ONA |

Ex.:
[1.2] *O irmão — A irmã*

NOTA:

Há nomes que mantêm a mesma forma no masculino e no feminino:

Ex.:
[2.4] *O estudante;*   *A estudante*
[1.1] *O jornalista;*   *A jornalista*
[2.3] *O gerente;*   *A gerente*
     O jovem;   *A jovem*

Há nomes com formas irregulares nos dois géneros:

Masculino	Feminino
Rapaz	*Rapariga*
Homem	*Mulher*
Pai	*Mãe*
Avô	*Avó*
Cão	*Cadela*
Galo	*Galinha*

5 Formação do plural

Regra Geral:

> -[*vogal*]   + S

Ex.:

[2.6] *A amiga*	*As amigas*
[2.3] *O gerente*	*Os gerentes*
[4.3] *O táxi*	*Os táxis*
[2.4] *O autocarro*	*Os autocarros*
[4.2] *O museu*	*Os museus*

> -R
> -S   + ES
> -Z

Ex.:

[8.1] *A cor*	*As cores*
[6.1] *O mês*	*Os meses*
[2.6] *O rapaz*	*Os rapazes*

> -L ⟶ IS

Ex.:

[1.3] *O jornal*	*Os jornais*
[3.6] *O pastel*	*Os pastéis*

> - M ⟶ NS

Ex.:

[2.3] *A viagem*	*As viagens*

```
- ÃO  ⟶  - ÃOS
          - ÕES
```

Ex.: [1.2] *O irmão   Os irmãos*
      [3.3] *Um galão   Dois galões*

3 ADJECTIVO

Modifica o nome e concorda com ele em género e número.

Ex.:

[1.1] *Os serviços administrativos*

6 Formação do feminino

```
- O  ⟶  - A
```

Ex.:

[1.1] *Ele é simpático*
       Ela é simpática

```
- U
- ES    +    A
- OR
```

Ex.:

       Cru   Crua

[7.4] *Um restaurante chinês*
       Uma casa   chinesa

São uniformes os adjectivos terminados em:

```
- E
- L
- S
- Z
```

Ex.:

[2.2] *Um número diferente*
       Uma morada diferente
[3.6] *Um restaurante agradável*
       Uma pessoa agradável
[11.1] *Um prato simples*
       Uma receita simples
[11.2] *Um rapaz feliz*
       Uma rapariga feliz

7 Formação do plural

A regra geral é idêntica à do nome:

```
-O   +   S
-A
```

```
-R
-S  +  ES
-Z
```

Ex.:

[1.1] *Os serviços administrativos*

Ex.:

[11.2]   *Eles são felizes*

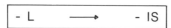

Ex.:

Azul; Olhos azuis

Ex.:

Fácil: Fáceis

```
- M   ⟶   - NS
```

Ex.: [3.6] *O serviço é bom*
Os serviços são bons

4 PRONOMES

Representam o nome e determinam
a sua extensão de significado.

8 Pessoais

Os pronomes pessoais referem as três pessoas envolvidas em qualquer situação de discurso:

1. *Eu/nós*
representam a pessoa que fala;
2. *Tu, você/vocês*
representam a pessoa com quem se fala;
3. *Ela, ele/elas, eles*
representam a pessoa de quem se fala.

NOTA
O pronome de 2.ª pessoa apresenta duas formas diferentes para o singular: tu e você
Tu
É uma forma de tratamento informal usada entre amigos ou pessoas que se conhecem bem e, na maioria dos casos, dentro de um mesmo grupo etário.

Ex.: [1.2] *Para onde é que tu vais?*
[2.6] *Joana, [tu] conheces o Pedro Santos?*

Você

É uma forma de tratamento mais formal, usada entre pessoas que não se conhecem ou que mantêm um relacionamento restrito, sem interferência de factores de ordem afectiva, e/ou entre estratos socio-culturais diferentes.

Raramente é explicitada, mas a concordância é feita com a forma verbal de 3.ª pessoa do singular e corresponde a uma forma mais formal como "o senhor" ou "a senhora", entre outras.

Ex.: [1.4] [A senhora] Toma café?
[2.5] O que é que o senhor faz?
[16.2] ... pelo menos você está vivo!...
[16.2] Você não teve culpa!...

A forma correspondente para o plural referente a tu e a você é "vós", aqui substituída por vocês, por ser a forma mais usual na linguagem quotidiana. Também a concordância verbal é feita pela 3.ª pessoa do plural.

Ex.: [5.0] Vocês desculpem mas eu estou com fome.
[13.3] Porque é que vocês não vêm?
[15.0] Vocês também têm que pensar em ir ao Brasil.

9 Pessoais — Formas Átonas de Complemento

	Reflexo	Comp. Directo [acusativo]	Comp. Indirecto [dativo]
eu	me	me	me
tu	te	te	te
você	se	a,o	lhe
ela/e	se	a,o	lhe
nós	nos	nos	nos
vocês	se	vos	vos/lhes
elas/es	se	as,os	lhes

Ex.: [3.4] As raparigas vão-se embora
[7.1] Eu espero-te lá em baixo
[7.2] Ele chega mais cedo...
Não há ninguém para o ir esperar...
[7.3] Apetecia-lhe fazer uma coisa diferente...
[8.3] O vestido não me serve
[13.3] Garanto-vos que vamos passar um bom bocado

10 Pessoais — Formas Tónicas de complemento

Complemento Indirecto

eu	mim	comigo
tu	ti	contigo
você	si	consigo
ela/ele	ela/ele	com ela, com ele
nós	nós	connosco
vocês	vocês	convosco, com vocês
elas/es	elas, eles	com elas, com eles

Estas formas são sempre antecedidas de preposição.

Ex.: [6.2] Para mim é sexta-feira 13!...
[7.4] Deixa isso comigo
[12.2] Diga à minha empregada que falou comigo
[15.0] Ele ri-se de mim
[16.1] Ele diz que só confia em si

11 Demonstrativos

Situam a pessoa ou o objecto no espaço e no tempo.

	Sing.	Plur.
Masc.	éste esse aquele	estes esses aqueles
Fem.	esta essa aquela	estas essas aquelas
Neutro	isto isso aquilo	

Ex.: [1.2] *Esta é a rua da Torre, não é?*
[3.2] *Quanto é que custa aquele bolo?*
[3.3] *É aquela porta ao fundo, à direita*
[3.6] *Mas isso é o que tu comes todos os dias*

NOTA:

Estes pronomes usam-se muitas vezes associados (explícita ou implicitamente) a advérbios de lugar e aos pronomes pessoais relacionados com a pessoa que fala, para quem se fala ou de quem se fala:

Eu/Nós Tu, Você(s) Ele(s)	Este Esse Aquele	Aqui Aí Ali

Ex.: [2.3] *Tens aí caneta e papel?*
[4.4] *O senhor tem que ir àquele guiché ali ao fundo*

Expressões com demonstrativos

Além disso	[4.5] *Tenho tempo [...] além disso é mais seguro*
Ora essa	[4.1] *Ora essa minha senhora*
Por isso	[6.3] *Ontem saí mais cedo (...) foi por isso que não acabei*
Isso mesmo	[5.2] *É isso mesmo. Temos a cidade a nossos pés.*

12 Possessivos

Determinam o que pertence às pessoas gramaticais.

	Masculino		Feminino	
	Singular	Plural	Singular	Plural
(eu)	*meu*	*meus*	*minha*	*minhas*
(tu)	*teu*	*teus*	*tua*	*tuas*
(você)	*seu*	*seus*	*sua*	*suas*
(ela/ele)	*seu*	*seus*	*sua*	*suas*
(nós)	*nosso*	*nossos*	*nossa*	*nossas*
(vocês)	*vosso*	*vossos*	*vossa*	*vossas*
(elas/eles)	*seu*	*seus*	*sua*	*suas*

Ex.: *[1.2]* *Já conheces o meu irmão?*
[2.4] *Mora na minha rua*
[6.2] *Está mesmo na tua frente*
[6.6] *Os meus pais precisaram de lá ir*
[9.1] *Os seus documentos, por favor*

NOTA:

É uso corrente na língua substituir o possessivo da 3.ª pessoa pelo pronome pessoal correspondente, contraído com a preposição DE (que se refere ao possuidor) colocando-o em posição pós-nominal:

Um possuidor

| Um ou vários objectos | (ela) — DELA |
| | (ele) — DELE |

Ex.: *O livro dela; o livro dele*
Os livros dela;
[14.1] *A Ana estava à espera dele cá fora*
[16.2] *A culpa não foi dele*
[17.3] *... se tiver tempo de ir à procura dele*

Vários possuidores

| Um ou vários objectos | (elas) — DELES |
| | (eles) — DELES |

Ex.: *O carro deles*
Os livros deles

13 Indefinidos

São, na maioria dos casos, aplicados à 3.ª pessoa quando esta não está claramente definida.

	Variáveis			Invar.
	Masc.	Fem.		
todo	todos	toda	todas	tudo
muito	muitos	muita	muitas	nada
tanto	tantos	tanta	tantas	
outro	outros	outra	outras	
pouco	poucos	pouca	poucas	cada
algum	alguns	alguma	algumas	alguém
nenhum	nenhuns	nenhuma	nenhumas	ninguém
certo	certos	certa	certas	
qualquer	quaisquer	qualquer	quaisquer	
	vários		várias	

Ex.: *[8.1]* *Que outras cores é que tem?*
[9.4] *Um sítio sem luz nenhuma.*
[9.4] *Não sei quem foi, mas alguém foi...*
[12.1] *Não tenho tido tempo para falar com ninguém*
[13.1] *Sinto os músculos todos*

NOTAS:

1. Sobre as formas invariáveis é importante salientar que:

Tudo/nada referem-se unicamente a coisas;
Tudo = todas as coisas
    Ex.: *[11.1] Frite tudo no azeite*
          [13.1] Doi-me tudo: pernas, braços, costas...

Nada = coisa nenhuma
          [11.2] Eles não podem ouvir nada...
          [12.2] Nunca mais senti nada

Alguém/ninguém referem-se exclusivamente a pessoas;

Alguém = alguma[s] *pessoa[s]*

    Ex.: *[9.4] Alguém foi com certeza*

Ninguém = pessoa nenhuma

          [7.2] Não há ninguém para o ir buscar
          [11.1] Ninguém conseguiu comer

Cada pode referir-se indiferentemente a coisas e pessoas; é também um elemento constitutivo de muitas locuções indefinidas.

    Ex.: *[11.2] Uma caixa para cada um*
          [12.1] Começou a sentir cada vez mais falta de forças...

2. Sobre os pronomes negativos:

Nenhum, ninguém, nada — integram-se, na maioria dos casos, em frases negativas formando uma negação dupla:

    Ex.: *[15.0] Não é nada*
          [7.2] Não há ninguém
          [8.2] Não faço ideia nenhuma

3. *Todo* tem algumas construções particulares, mas muito frequentes na língua:

Todo + art. + nome

    Ex.: *[11.1] tinha todos os ingredientes =*
               (tinha os ingredientes todos)
        [6.5] choveu todo o dia =
             (choveu o dia todo)

todo + adj.

    Ex.: *[6.3] ficou toda molhada*
         [13.1] estou todo partido

4. Às formas variáveis correspondem ainda formas neutras, utilizadas frequentemente na linguagem quotidiana. Formam-se normalmente a partir do feminino singular do pronome a que se associa o nome *"coisa"*:
qualquer coisa, alguma coisa, muita coisa, pouca coisa, tanta coisa, coisa nenhuma (só em frases negativas), etc...

    Ex.: *[3.3] Deseja alguma coisa?*
         [5.0] Temos tempo para ver muita coisa
         [9.4] Sei lá... qualquer coisa
         [12.1] Depois diz-me qualquer coisa
         [18.3] ...e ia fazer outra coisa...

5. Alguns exemplos de expressões indefinidas:

    Ex.: *[9.3] "A certa altura" pensei...*
         [15.0] lá encontramos "um pouco de tudo"...
         [16.3] "Olha bem para "todos os lados"
         [16.3] "Daqui a pouco" desato a rir...
         [17.1] Tem que pagar "de qualquer maneira"
         [18.1] sem parar "em parte nenhuma"

14 Interrogativos

Usam-se para fazer perguntas.

Pronome + verbo:

> O que
> Qual
> Quem
> Onde
> Quando
> Quanto
> Como

Ex.: [5.0] *O que é o fado?*
  [4.2] *Qual é o melhor autocarro?*
  [1.3] *Onde é que vais?*
  [4.2] *Quanto custa um bilhete de autocarro?*

NOTA
  Quem refere-se a pessoas e utiliza-se com a 3.ª
pessoa das formas verbais [*excepto para o verbo 'ser'*].

  Ex.: [1.1] *Quem é ele?*
    [4.5] *Quem quer vir comigo?*
    [6.2] *Quem é que os vai buscar?*

Pronome + nome:

> Que
> Qual, quais
> Quanto, -a
> Quantos, -as

Ex.: [2.4] *Há quanto tempo é enfermeira?*
  [4.3] *... Que horas são?*

15 Relativos

Referem-se a uma palavra anterior (o antecedente):

> Que
> Quem
> Qual
> Onde
> Quanto, quantos
>   quantas

Ex.: [1.2] *o relatório que eu pedi...*
  [9.4] *não sei quem foi que o roubou...*
  [10.0] *É uma festa onde se junta...*
  [14.2] *Ele conta qual foi o espectáculo que mais o sensibilizou*

NOTA

1. *Qual, quais + de + Nome*

  Ex.: [15.0] *Qual delas a mais bonita...*
      = [*Qual das Ilhas é a mais bonita...*]   ou depois do nome:

2. Estes pronomes são frequentemente reforçados, na
língua falada, pela expressão enfática '*é que*' situada
antes do verbo que acompanha o pronome:

  Ex.: [3.2] *Quanto é que custa aquele bolo?*
      [2.5] *Onde é que a senhora trabalha?*

  Ex.: [5.0] *Há quanto tempo é que está em Lisboa?*
      [16.1] *Quanto tempo é que vai demorar?*

  [Com a presença de '*é que*' não se verifica inversão
  do sujeito pelo verbo)

5 VERBOS

Traduz uma acção representada no tempo, de forma variável e flexionada, consoante:

1 — O número e a pessoa:

Singular: Eu
Tu
Você/ o senhor/etc.
Ela, ele
Plural: Nós
Vocês/ os senhores/etc.
Elas, eles

2 — A atitude da pessoa que apresenta a acção:

Modo Indicativo — revela uma atitude de certeza;

Ex.: [1.1] Ele é simpático

Modo conjuntivo — demonstra uma atitude de dúvida, incerteza, suposição;

Ex.: [14.3] Talvez seja um peixe

Modo Imperativo — exprime ordem, convite, pedido;

Ex.: [11.2] Fechem a porta... apaguem a luz

3 — O momento em que acontece a acção:

Tempo presente

Ex.: [2.3] Agora sou gerente de uma agência de viagens

Tempo passado

*Ex.: [6.5] Ontem esteve um dia horrível.
Choveu todo o dia.*

Tempo futuro

*Ex.: [2.2] Vou procurar na agenda
[6.6] Combinamos e vamos lá os três um dia destes.*

16 A conjugação

Há três conjugações em português que são caracterizadas pela vogal temática:

1.ª conjugação: Verbos com a vogal temática -a-;

*Ex.: [2.1] (Morar)
Essa senhora não mora aqui*

2.ª conjugação: Verbos com a vogal temática -e-;

*Ex.: [3.6] (Comer)
Mas isso é o que tu comes todos os dias*

3.ª conjugação: Verbos com a vogal temática -i-;

*Ex.: [3.5] (Dividir)
Nós depois dividimos*

As formas de tempos simples são formadas a partir do radical, juntando-se depois o sufixo temporal e as desinências correspondentes ao número e à pessoa.

		A	**E**	**I**
Ex.:	Eu	mor**o**	com**o**	divid**o**
	Tu	mor**as**	com**es**	divid**es**
	Você	mor**a**	com**e**	divid**e**
	Ela/e	mor**a**	com**e**	divid**e**
	Nós	mor**amos**	com**emos**	divid**imos**
	Vocês	mor**am**	com**em**	divid**em**
	Elas/es	mor**am**	com**em**	divid**em**

O paradigma que se apresenta a seguir pode ser tomado como modelo para todas as formas regulares:

17 Formação dos tempos simples

Tempos formados com o radical dos verbos:

Tempos e Modos	C	Radical	Terminações				
			eu	*tu*	*você ela/e*	*nós*	*vocês elas/es*
Infinitivo	1	Gost	-ar				
	2	Com	-er				
	3	Divid	-ir				
Indicativo Presente	A	Gost	-o	-as	-a	-amos	-am
	E	Com	-o	-es	-e	-emos	-em
	I	Divid	-o	-es	-e	-imos	-em
Pretérito Perfeito	A	Gost	-ei	-aste	-ou	-ámos	-aram
	E	Com	-i	-este	-eu	-emos	-eram
	I	Divid	-i	-iste	-iu	-imos	-iram
Pretérito Imperfeito	A	Gost	-ava	-avas	-ava	-ávamos	-avam
	E	Com	-ia	-ias	-ia	-íamos	-iam
	I	Divid	-ia	-ias	-ia	-íamos	-iam
Conjuntivo Presente	A	Gost	-e	-es	-e	-emos	-em
	E	Com	-a	-as	-a	-amos	-am
	I	Divid	-a	-as	-a	-amos	-am
Pretérito Imperfeito	A	Gost	-asse	-asses	-asse	-ássemos	-assem
	E	Com	-esse	-esses	-esse	-êssemos	-essem
	I	Divid	-isse	-isses	-isse	-íssemos	-issem
Futuro	A	Gost	-ar	-ares	-ar	-armos	-arem
	E	Com	-er	-eres	-er	-ermos	-erem
	I	Divid	-ir	-ires	-ir	-irmos	-irem
Particípio Passado	A	Gost	-ado				
	E	Com	-ido				
	I	Divid	-ido				
Gerúndio	A	Gost	-ando				
	E	Com	-endo				
	I	Divid	-indo				

18 Conjugação Pronominal

As formas átonas de complemento dos pronomes pessoais são colocadas a seguir ao verbo ligadas por hífen.

No caso da voz reflexa o complemento directo e o sujeito da acção são sempre coincidentes.

Ex.: [3.4] O Carlos... vai-se embora.

Muitos verbos são conjugados com as formas átonas dos pronomes pessoais que desempenham uma função ou de complemento directo (acusativo) ou de complemento indirecto (dativo).

Ex.: [7.2] Quem é que os vai buscar?
[7.1] Espero-te lá em baixo...
[11.2] ... resolveram preparar-lhes uma surpresa.

Em presença de algumas formas pronominais ocorrem fenómenos de contracção com as formas verbais.

Assim:

1. Em presença de *NOS* e *VOS* - a 1.ª pessoa do plural da forma verbal perde o -S final.

*Ex.: [13.3] Encontrei um grupinho... e **temo**-nos divertido.*

2. Na presença das formas A, AS, O, OS:

— Se a forma verbal termina em - M ou - ÃO
acrescenta-se N- ao pronome.

-ÃO	+	Na, Nos
-AM	+	No, Nas

Ex.: [9.4] O carro não estava lá... roubaram-no... levaram-no!

— Se a forma verbal termina em -R, -S, -Z:
Estas consoantes desaparecem e acrescenta-se L-
à forma pronominal.

-(R)		
-(S)	⟶	La(s), Lo(s)
-(Z)		

*Ex.: [7.2] A senhora podia ir **esperá**-lo, não?*

NOTA

Quando a forma verbal é oxitona a vogal temática recebe acento gráfico:
a -á, e -ê e o -ô.

Ex.: [7.4] ... nós podíamos convidá-los...
[12.2] Eu quero vê-la.
[15.0] A carta já vai longa e eu quero pô-la no Correio...

Na maior parte dos casos em que a forma verbal é antecedida de advérbios, pronomes (relativos, interrogativos e indefinidos) ou conjunções, os pessoais-complemento (formas átonas) são colocados antes do verbo.

Ex.: [6.6] já me convidaram muitas vezes...
[9.4] Devo confessar-lhe que me esqueci de o ligar.
[10.0] Ainda não lhe pedi, mas ele não se vai importar.

MODOS E TEMPOS

19 Modo Indicativo
Exprime a realidade, a certeza da acção, tanto no presente como no passado ou no futuro.

20 Expressão do Presente

21 O Presente do Indicativo
Usa-se para exprimir:

1. Um facto que acontece no momento em que se fala.

Ex.: [2.3] Tens aí caneta?

2. uma acção ou um estado permanente.

Ex.: [2.4] Os autocarros são grandes e pesados.

3. uma acção habitual.

Ex.: [3.6] Isso é o que tu comes todos os dias.

4. um acto futuro, próximo do momento em que se fala (normalmente é acompanhado por um advérbio ou expressão de futuro)

Ex.: [4.4] O senhor tem um comboio agora às 9 h.
O próximo parte às 11.05 e o seguinte é só ao meio-dia e meia.

Alguns advérbios e expressões de tempo mais usados com o Presente do Indicativo:

Agora	Neste momento
Hoje	De momento
Actualmente	Hoje em dia
Geralmente	
Habitualmente	
Presentemente	

Principais verbos irregulares no presente (agrupados pelas suas semelhanças de conjugação):

DAR	dou,	dás,	dá,	damos,	dão
ESTAR	estou,	estás,	está,	estamos,	estão
IR	vou,	vais,	vai,	vamos,	vão
SER	sou,	és	é,	somos,	são
LER	leio,	lês,	lê	lemos,	lêem
VER	vejo,	vês,	vê,	vemos,	vêem
DIZER	digo,	dizes,	diz,	dizemos	dizem
TRAZER	trago,	trazes,	traz,	trazemos,	trazem
SABER	sei,	sabes,	sabe,	sabemos,	sabem
PÔR	ponho,	pões,	põe,	pomos,	põem
TER	tenho,	tens,	tem,	temos,	têm
VIR	venho,	vens,	vem,	vimos,	vêm
FAZER	faço,	fazes,	faz,	fazemos,	fazem
PODER	posso,	podes,	pode,	podemos,	podem
PEDIR	peço,	pedes,	pede,	pedimos,	pedem
OUVIR	ouço,	ouves,	ouve,	ouvimos,	ouvem
DORMIR	durmo,	dormes,	dorme,	dormimos,	dormem
SUBIR	subo,	sobes,	sobe,	subimos,	sobem
VESTIR	visto,	vestes,	...,	...,	...,*

(*) Esta alternância vocálica verificada na 1.ª pessoa do singular repete-se na grande maioria dos verbos da 3.ª conj. que apresenta um /e/ mudo, ou nasal, na sílaba tónica.

Ex.: Conseguir -consigo; sentir -sinto; etc.

22 Expressão do Futuro

Coloquialmente o Futuro pode ser expresso por:

1. Presente do indicativo + advérbio ou expressão temporal
Ex.: [7.2] *Eles chegam todos na 2.ª feira.*
  [1.3] *Telefono-te mais tarde.*

2. Presente do verbo IR + infinitivo do verbo principal.
Ex.: [3.6] *Vou comer qualquer coisa lá em baixo.*

23 O Futuro do Presente tem um uso mais restrito.
A flexão dos verbos no futuro exprime:

1. factos certos posteriores ao momento em que se fala.
Ex.: [19.3] *O edifício terá 4 pisos...*

2. incerteza sobre factos actuais.
Ex.: [19.1] *O que será que ele me quer?*

Formação do Futuro do Presente

	eu	tu	você ela/e	nós	vocês elas/es
Gostar	-ei	-ás	-á	-emos	-ão
Comer	-ei	-ás	-á	-emos	-ão
Dividir	-ei	-ás	-á	-emos	-ão

Verbos irregulares: FAZER, DIZER e TRAZER

DIZER — direi, dirás, dirá, diremos, dirão
FAZER — farei, farás, fará, faremos, farão
TRAZER — trarei, trarás, trará, traremos, trarão
Ex.: [19.1] *Eu tenho a certeza que ele fará tudo...*

Alguns advérbios e expressões mais utilizados:
  Amanhã
  Depois de amanhã
  Na próxima semana/no próximo ano...
  Dentro de dias / dentro de uma semana (mês, ano,...)
  Daqui a poucas horas / daqui a três meses (semanas,...)
  Para a semana
  Para o ano
  Para o mês que vem

  A intenção de realizar uma acção no futuro é expressa frequentemente pela locução verbal formada por:
  HAVER DE + Infinito do verbo principal.

	eu	tu	você ela/e	nós	vocês elas/es
HAVER	hei-de	hás-de	há-de	havemos de	hão-de

Ex.: [19.3] *Ele há-de ir até ao fim*

(Note-se a semelhança com as desinências do Futuro do Presente)

24 Expressão do Passado

Pode exprimir uma acção passada completa ou incompleta.

25   O Pretérito Perfeito

Usa-se para exprimir: uma acção passada, completamente acabada e limitada no tempo.

Ex.: *[6.1] Ontem foi quinta...*
[6.5] ... de repente começou a chover...
ela ficou toda molhada...

Alguns advérbios e expressões de tempo mais usados com o Pretérito Perfeito:
Ontem
Anteontem
Há pouco / há bocado / há bocadinho
Há algum tempo / há muito tempo... / há dias...
No sábado passado / na semana passada / no ano passado...

Principais verbos irregulares no pretérito perfeito, agrupados por semelhança de conjugação:

ESTAR	estive,	estiveste	esteve,	estivemos,	estiveram
TER	tive,	tiveste,	teve,	tivemos,	tiveram
DIZER	disse,	disseste,	disse,	dissemos,	disseram
SABER	soube,	soubeste,	soube,	soubemos,	souberam
TRAZER	trouxe,	trouxeste,	trouxe,	trouxemos,	trouxeram
FAZER	fiz,	fizeste,	fez,	fizemos,	fizeram
QUERER	quis,	quiseste,	quis,	quisemos,	quiseram
PODER	pude,	pudeste,	pôde,	pudemos,	puderam
POR	pus,	puseste,	pôs,	pusemos,	puseram
SER	fui,	foste,	foi,	fomos,	foram
IR	fui,	foste,	foi,	fomos,	foram
VIR	vim,	vieste,	veio,	viemos,	vieram
DAR	dei,	deste,	deu,	demos,	deram

(é regular na 1.ª pessoa sing. e para as restantes conjuga-se como os verbos regulares da 2.ª conj.);

VER	vi,	viste,	viu,	vimos,	viram

(conjuga-se como os verbos regulares da 3.ª conj.)

Alterações gráficas nas formas verbais:

Verbos da 1.ª conjugação com radicais terminados em:

	-c	-ç	-g	
passam a	-que	-c	-gu	perto de e

Ex.:

	Ficar	*Começar*	*Chegar*
	Fiquei	*Comecei*	*Cheguei*

Verbos da 2.ª e 3.ª conjugação com radicais terminados em:

	-c	-g	-gu	
passam a	-ç	-j	-g	junto de o/a

Ex.:

Convencer	*Fugir*	*Seguir*
Convenço	*Fujo*	*Sigo*
Convença	*Fuja*	*Siga*

26 O Pretérito Imperfeito

Apresenta em geral uma acção ou um estado, realizados no passado, não limitados no tempo e não concluídos explicitamente.
Usa-se para exprimir:

1. um pedido, uma sugestão ou uma afirmação, de forma delicada.

Ex.: [3.3] *Queria a conta, se faz favor.*
[4.2] *Podia dizer-me como se vai para o Museu...?*
[7.3] *Esta noite apetecia-me sair...*

2. Uma acção repetida, ou habitual, no passado.

Ex.: [8.2] *Eu costumava guardá-lo na última gaveta...*

3. Factos gerais que se podem opor ao presente.

Ex.: [8.2] *...está todo traçado!... não estava assim!*
Ex.: [8.3] *Costumo?... Não. Costumava... agora já não o posso vestir!*

4. Recordações de épocas passadas.

Ex.: [8.4] *Quando eu tinha a tua idade vivia no campo.*
[8.4] *Eu gostava muito de correr atrás das galinhas mas a minha mãe é que não gostava.*

5. Duas acções simultâneas, em que uma está a decorrer quando a outra acontece.

Ex.: [9.2] *O miúdo ia a correr não viu o carro...*
[9.4] *Quando saí de casa, o carro não estava lá!*

Alguns advérbios e expressões de tempo mais usados com o Pretérito Imperfeito:
Antigamente
Dantes
Em tempos
Todos os anos/todos os dias... etc., (quando usados com valor repetitivo, no passado)

Formas irregulares no pret. Imperfeito:

SER	era,	eras,	era,	éramos,	eram
PÔR	punha,	punhas,	punha,	púnhamos,	punham
TER	tinha,	tinhas,	tinha,	tínhamos,	tinham
VIR	vinha,	vinhas,	vinha,	vínhamos,	vinham
SAIR	saía,	saías,	saía,	saíamos,	saíam

27 Modo Conjuntivo

Exprime dúvida, incerteza, eventualidade ou irrealidade.

28 Utilização

O Conjuntivo é usado, na maior parte dos casos, depois de:

1. Verbos que exprimem um sentido de ordem, vontade, proibição, desejo, condição e sentimento.

Ex.: [16.1] *O sr. Director pede-lhe que vá ao correio e leve estas encomendas...*
[16.2] *Quer que lhe faça um cafezinho?*
[12.1] *Espero que não seja nada de grave!*
[19.2] *Por momentos receou que fosse uma má notícia...*

2. Verbos e expressões que indicam probabilidade, dúvida, etc..

Ex.: [11.3] *Até pode ser que dê resultado...*
[14.3] *Duvido que o autor tenha querido dizer...*
[18.2] *Eu faço o que tu quiseres*
[19.2] *Agradecíamos que nos indicasse a sua disponibilidade.*

3. Algumas conjunções, advérbios e locuções

Ex.: [14.3] *Talvez seja um peixe... talvez seja uma ave*
[17.2] *Mesmo que seja caro, eu não me importo*
[17.3] *Se adormecesse... deixava de ver a estrada*
[18.2] *Se fizer frio passamos o tempo à lareira*
[19.1] *para que ele pudesse contactar com...*

4. Expressões indefinidas relativas à probabilidade ou eventualidade.

Ex.: [16.3] *Há quem faça...*
[11.3] *Pode ser que dê resultado...*

29 O Presente

Indica um facto presente ou futuro.

Ex.: [14.3] *Talvez seja uma ave...*
[16.1] *... também quer que eu traga a resposta antes do jantar*

Formas irregulares do presente de conjuntivo:

1. Para os verbos irregulares na 1.ª pessoa do Presente do Indicativo substitui-se a desinência -O pelas do Conjuntivo, que são:

para a 1.ª conj.: | -E, -ES, -E, -EMOS; -EM
para a 2.ª e 3.ª conj.: | -A, -AS, -A, -AMOS, -AM.

Ex.: DAR: dou   dê   dês...
Ex.: TRAZER; trago   traga   tragas...

2. Verbos irregulares no Presente do Conjuntivo:

ESTAR	esteja,	estejas,	esteja, ...
SER	seja,	sejas,	seja, ...
HAVER	haja,	hajas,	haja, ...
QUERER	queira,	queiras,	queira, ...
SABER	saiba,	saibas,	saiba, ...
IR	vá	vás	vá

30 O Pretérito Imperfeito

Indica uma acção que pode ser passada, presente ou futura, em função do contraste .

Ex.: [18.1] *Ele sabia que não podia fechá-los...*
se os fechasse... adormecia...
[18.3] *Isso era se eu tivesse outro lado para onde ir...*
[18.2] *E se fôssemos à Serra da Estrela?*

Formas irregulares no Imperfeito do Conjuntivo:

Todos os verbos irregulares no Pretérito Perfeito do Indicativo, substituem a desinência "-ste" da 2.ª pes. sing. pela terminação do Imperfeito do Conjuntivo:

	-SSE,	-SSES,	-SSE,	-SSEMOS,	-SSEM
Ex.:	*FAZER*	— *fize(ste)* *fizesse,*	*fizesses,*	*fizesse, ...*	
	PODER	— *pude(ste)* *pudesse,*	*pudesses,*	*pudesse, ...*	
	SER	— *fo(ste)* *fosse,*	*fosses,*	*fosse, ...*	

Conjunções e locuções conjuncionais mais usadas com o Presente e Imperfeito:

Desde que   Mesmo que
A não ser que   Por muito que
Antes que   Logo que

31 O Futuro

Expressa a eventualidade — apresenta um facto futuro de realização provável.

Ex.: [17.1] E se eu reclamar o que é que acontece?
[17.2] ... se por acaso houver...
[17.2] ... quando a senhora quiser... ou quando tiver tempo

Formas irregulares no Futuro do Conjuntivo:
Todos os verbos irregulares no Pretérito Perfeito do Indicativo, substituem a desinência "-ste" da 2.ª pes. sing. pela terminação do Futuro do Conjuntivo:

-R, -RES, -R, -RMOS, -REM.

Ex.: TRAZER — trouxe(ste)   trouxer, trouxeres,...
SER — fo(ste)   for, fores,...
etc.

Conjunções mais usadas com o Futuro e com o Imperfeito:

Quando   Como
Enquanto   Conforme
Assim que   Se
Logo que   Quanto mais... mais...
                                         ...

Expressões de eventualidade:
Faça o que fizer
Haja o que houver,
etc.

32 Modo Imperativo

O IMPERATIVO exprime fundamentalmente:

1. Ordem
Ex.: [11.2] Não façam barulho agora

2. Conselho
Ex.: [11.3] Vai fazendo coisas diferentes...

3. Convite
Ex.: [13.3] Venham até cá porque vale a pena...

4. Estímulo
Ex.: [16.2] Vá lá! Não fique assim... Anime-se!

5. Súplica
Ex.: [16.3] Ó Sara, não brinques!...

33 Formas de Imperativo

No Imperativo são usadas as formas do Presente do Conjuntivo, excepto quando afirmativamente se refere a TU, usando então a forma de 3.ª pessoa do singular do Presente do Indicativo.

	(Tu)		(Você)	(Nós)	(Vocês)
	(sim)	(não)			
Gost	-a	-es	-e	-emos	-em
Com	-e	-as	-a	-amos	-am
Divid	-e	-as	-a	-amos	-am

Ex.: [11.2] *Olha, faz, por exemplo, saladas...*
      grelha um bife, coze peixe...
 [16.3] *Acalma-te... Descontrai-te...*
 [16.3] *Não faças o que o Jaime fez...*
 [11.2] *Ó Paulo e Zé... calem-se...*

NOTA

Na língua falada usa-se também formas de Imperativo para:

1. Chamar a atenção de outro falante:

Ex.: [3.2] *Olhe, faz favor...*
       [2.4] *O senhor desculpe.*
       [1.3] *Olá João! Viva!*
       [1.4] *Faça favor de entrar, minha senhora.*

2. Formular uma hipótese:

Ex.: [17.1] *Imaginemos que a minha reclamação não é lida.*
       [17.1] *Então suponhamos que eu não pago!*

34 Formas Nominais

São sempre formas verbais que não exprimem tempo nem modo porque estão sempre dependentes do contexto em que aparecem.

O INFINITIVO — exprime a ideia da acção (valor idêntico ao do nome).

Ex.: [1.3] *Vou comprar o jornal. Queres vir?*
       [2.3] *Estou a trabalhar no Estoril...*

O GERÚNDIO — exprime o processo verbal em curso (próximo do adjectivo e do advérbio).

Ex.: [18.1] *Entretanto o carro ia deslizando...*

O PARTICÍPIO — exprime o resultado do processo verbal (associa o valor de verbo e de adjectivo).

Ex.: [12.2] *Como tem passado?*

INFINITIVO

35 Infinitivo Impessoal

Não se refere a uma pessoa gramatical; não é flexionado.

Pode usar-se

1. com um valor nominal:

Ex.: [8.4] *máquinas de lavar*

2. Em formas perifrásticas e orações completivas:

Ex.: [3.4] *Pode guardar o troco.*
       [4.5] *eu prefiro ir a pé...*
       [2.3] *Gosto muito de conduzir autocarros...*
       [3.6] *Tenho que trabalhar à tarde.*
       [9.2] *ele ia a correr...*

36 Infinitivo Pessoal

Refere um sujeito expresso: é flexionado.

	eu	tu	você ela/e	nós	Vocês elas/es
Gostar	—	es	—	mos	em
Comer	—	es	—	mos	em
Dividir	—	es	—	mos	em

Usa-se habitualmente:

1. Depois de preposição, ou locução prepositiva podendo, ou não, referir-se ao mesmo sujeito.

> Ex.: *[7.4] Era só para beberem um copo, tomarem uns aperitivos... e conversarmos um bocado*
> *[11.1] (Ele) Depois de ler e rejeitar algumas receitas...*
> *[14.3] tu não tens sensibilidade para estares na frente de uma obra de arte...*

2. ou depois de expressões como: SER + adj.

> Ex.: *[7.4] ... não é possível conversarmos*
> *[17.3] é melhor ires andando...*
> *[18.2] para isso não é preciso sairmos de casa...*
> *[14.1] Talvez seja melhor nem os comprarmos*

NOTA

São construções frequentes:

SER + adj. + V. infinitivo
ACHAR + adj. + V. infinitivo

Mas estas construções são equivalentes a:

SER + adj. + QUE   e
ACHAR + adj. + QUE,
que obrigam ao uso do modo conjuntivo.

> Ex.: *... é melhor ires andando = ...é melhor que vás andando*
> *Acho melhor ires andando = acho melhor que vás andando*

37 Gerúndio

Usa-se frequentemente combinada com o auxiliar IR, para exprimir uma acção durativa que se realiza por etapas ou de forma progressiva.

> Ex.: *[11.3] Vai fazendo coisas diferentes...*
> Ex.: *[17.3] É melhor ires andando a pé...*
> Ex.: *[18.1] O carro ia deslizando...*

NOTA

Isoladamente ou combinado com outros verbos tem valor aspectual idêntico ao conjunto da prep. A + Infinitivo. Constitui uma das características do Português falado no sul de Portugal e no Brasil.

38 Particípio Passado

Usa-se na formação dos tempos compostos, combinado com os verbos auxiliares TER, SER e ESTAR.
Quando usado com o verbo TER o particípio passado fica invariável.

Ex.: *[12.3]* *O senhor não tem tido cuidado com o que come...*
    [14.1] *...afinal ele já se tinha ido embora...*

Com os restantes auxiliares o particípio concorda em género e número com o nome que qualifica.

Ex.: *[14.1]* *o filme parece que foi feito em cima do joelho*
    [14.1] *a história está mal realizada...*

NOTA

1. Há verbos que apresentam formas irregulares no particípio passado. Os mais frequentes são:

-a-	PAGAR	pago
	GANHAR	ganho
-e-	DIZER	dito
	ESCREVER	escrito
	FAZER	feito
	VER	visto
	PÔR	posto
-i-	VIR	vindo
	ABRIR	aberto

2. Há verbos com duas formas de particípios: uma regular, outra irregular.
A forma regular é usada com o auxiliar TER.
A forma irregular é usada com os auxiliares SER, ESTAR, FICAR.

Ex.:

	(Ter)	(Ser)
ENTREGAR	entregado	entregue
MATAR	matado	morto
ACENDER	acendido	aceso
PRENDER	prendido	preso

39 Função dos Verbos

Quanto à FUNÇÃO os verbos podem ser Principais e Auxiliares.
O verbo PRINCIPAL tem uma significação completa dentro da frase.

Ex.: *[1.1]* *Ele trabalha nos serviços administrativos*
    [2.3] *...à noite estou sempre em casa...*

O verbo AUXILIAR associa-se a formas nominais de outros verbos dando-lhes um valor semântico especial.

Ex.: *[12.2]* *Como* **tem** *passado?*
    [2.3] **Está** *combinado.*
    [2.4] **Posso** *fazer-lhe algumas perguntas?*

40 Verbos Auxiliares

Os auxiliares de uso mais frequente na língua são:
TER, SER, ESTAR e *IR*, que em conjunto com as formas nominais do verbo principal (particípio passado, infinitivo ou gerúndio) formam locuções verbais; só os auxiliares são flexionados.

Tempos Compostos	*ter* + particípio passado *Ex.:* *[12.2]* *Tem passado melhor...?* *[12.2]* *(Ele já tinha jogado ténis)*
Voz Passiva	*ser* + particípio passado *Ex.:* *[14.1]* *foi escrito por uma pessoa...* *[14.1]* *... que é bastante conhecida* *estar* + particípio passado *Ex.:* *[2.3]* *Então está combinado.*

| Expressão de Futuro | *ir* + infinitivo
Ex.: *[1.3] Vou comprar o jornal*
[12.3] Vai ver que se vai sentir |

Mas para além destes (excluindo o verbo 'ser') há outros que, com ou sem preposição, mais o infinitivo do verbo principal, expressam valores modais e aspectuais:

Probabilidade	*Dever* *Ex.: [13.3] Deve haver muita gente*
Conselho Sugestão	*Poder; Dever* *Ex.: [7.2] A senhora podia ir esperá-lo* *[12.3] Devia perder uns quilos*
Obrigação	*Ter que; ter de;* *Ex.: [3.5] Tenho que trabalhar à tarde*
Possibilidade e Autorização	*Poder.* *Ex.: [11.2] Pode ser que dê resultado* *[3.4] Pode guardar o troco*
Prolongamento	*Estar a; ficar a; continuar a; andar a* *Ex.: [2.6] Está a acabar o curso...*
Momento pontual	*Começar a; acabar de; deixar de* *Ex.: [6.5] De repente começou a chover...*

41 Os Tempos Compostos

Os tempos compostos do modo indicativo, expressam um facto acabado, repetido ou continuado durante um determinado período de tempo.

São formados com o verbo TER, conjugado no Presente ou no Pret. Imperfeito, e o Particípio Passado do Verbo principal.

42 O Pretérito Perfeito Composto

É formado com o Presente do Indicativo do verbo auxiliar TER e o Particípio do verbo principal, usa-se para exprimir:

1. A repetição de uma acção passada com a possibilidade de continuar no futuro.

> *Ex.: [12.1] Tenho andado com tanta coisa para fazer que não tenho tido*
> *tempo para...*
> *[12.3] Tem passado melhor desde a última vez...?*

2. A continuação de uma acção passada até ao presente...

> *Ex.: [12.1] Dantes via-os... mas ultimamente não os tenho encontrado lá...*
> *[12.3] ... o senhor não tem tido cuidado com o que come...*

Alguns advérbios e locuções de tempo mais usados com o Pret. Perfeito comp.:
Ultimamente
Nos últimos / dias / semanas / meses / tempos...
Até agora
Até ao presente

43 O Pretérito Mais-Que-Perfeito Composto

Formado com o Pretérito Imperfeito do verbo auxiliar *TER* e o Particípio passado do verbo principal, usa-se para exprimir:

— Uma acção que ocorreu antes de outra acção passada.

> *Ex.:* [13.2] *O Manel já tinha jogado ténis quando era criança...*
> [13.3] *... temos andado de barco à vela! (Foi a primeira vez... eu nunca tinha andado!)*
> [14.2] *foi então que me lembrei que tinha deixado o carro ao pé do Teatro!*

Alguns advérbios e expressões de tempo mais usados com o Pret. mais-que-perfeito composto:

Já
Nunca
Ainda não

6 ADVÉRBIOS

Os advérbios têm como função mais importante modificar o verbo. Mas podem intensificar o sentido de adjectivos, de outros advérbios ou ainda de frases.

44 Classificação

Os advérbios e as locuções adverbiais mais utilizados são classificados do seguinte modo:

> *Lugar*: Aqui, aí, ali, além, em frente, atrás, à direita, ao lado, em cima, etc.
> *Modo*: Assim, bem, mal, depressa, devagar, à vontade, em silêncio, em geral, e a maior parte dos advérbios terminados em -mente.

NOTA
Estes advérbios são formados a partir da forma feminina do adjectivo, ou, no caso de ser uniforme, a partir da forma única:

> *Ex.:* [6.5] *... mas completamente... (completo)*
> [9.2] *Felizmente ainda tive... (feliz)*

> *Negação*: Não, de maneira nenhuma, de forma alguma, etc..
> *Tempo*: Agora, hoje, sempre, depois, então, de manhã, de vez em quando, por enquanto, etc.
> *Afirmação*: Sim, com certeza, sem dúvida, etc.
> *Quantidade*: Muito, pouco, quase nada, menos, tanto, mais.

45 Graus de Advérbios

Bem   melhor
Mal   pior

46 Colocação (em relação ao verbo)

ANTES do verbo
Os adv. de negação e dúvida:

> *Ex.:* [6.6] *Nunca fui a Sintra*

DEPOIS do verbo
Os adv. de modo:

> *Ex.:* [6.4] *ficou completamente molhada*
> [13.2] *... tem jogado regularmente...*

Os restantes têm grande mobilidade dentro da frase

> *Ex.: [12.1] Eu encontrei o Tiago ontem.*
> *= Ontem eu encontrei o Tiago.*
> *= Eu, ontem, encontrei o Tiago.*
> *= Eu encontrei ontem o Tiago.*

7 PREPOSIÇÕES

São palavras invariáveis que indicam uma relação de dependência entre dois termos, dentro da frase.

47 Contracção

Algumas preposições aparecem muitas vezes contraídas com artigos definidos ou com demonstrativos.

As preposições mais usadas são as seguintes:

Prep.	Prep. + art. + dem.
A	a + o(s) = ao(s) a + a(s) = à(s) a + aquele(s) = àquele(s)...
ATÉ COM CONTRA	
DE	de + o(s) = do(s) de + a(s) = da(s) de + aquela(s) = daquela(s)...
DESDE DURANTE	
EM	em + o(s) = no(s) em + a(s) = na(s) em + aquele(s) = naquele(s)...
ENTRE PARA	
POR	por + o(s) = pelo(s) por + a(s) = pela(s) por aquela(s)...
SEM	

Algumas locuções prepositivas:

debaixo de	/ em cima de	ao lado de
por baixo de	/ por cima de	à vontade
à frente de	/ atrás de	cerca de
antes de	/ depois de	próximo de
longe de	/ perto de	ao pé de
dentro de	/ fora de	junto de

apesar de; em vez de; através de; etc..

Uma preposição pode estar ligada a diferentes sentidos conforme o contexto em se que encontra. Numa tentativa de simplificar o seu estudo procurámos agrupá-las, em um primeiro momento, segundo os sentidos mais gerais (movimento e lugar espacial e temporal) tratando-as depois individualmente.

48 Movimento

A
Deslocação breve, com possibilidade de dois sentidos
(*Ir / Voltar*)

Ex.: [1.3] Vou ali ao quiosque comprar o jornal

DE
Deslocação com um único sentido indicando 'origem' ou 'proveniência' (*SAIR / VIR / VOLTAR*).

Ex.: [7.3] não quero sair de casa

PARA
Deslocação com um único sentido indicando 'destino'.

Ex.: [1.2] Vou para a Biblioteca

A. Pode indicar o modo de deslocação
  [4.5] Eu também prefiro **ir a** pé

De. Pode indicar o meio de transporte
  [4.2] É melhor **ir de** autocarro

Em. Contraído com o artigo, especifica o meio de transporte utilizado
  [4.5] **Vou no** meu carro

49 Lugar — no espaço

A
  junto de
  perto de
  direcção

  Ex.: [6.2] oito horas, à saída da Estação...
    [4.4] outro (guiché) que está ao lado...
    [3.1] Há um (café) já ali à direita.
    [4.2] ... a distância daqui até ao Museu...

EM
  local
  dentro de
  em cima de

  Ex.: [2.3] É na Rua António Silva
    [1.1] Trabalha na Rádio
    [2.3] à noite estou sempre em casa
    [2.2] Vou procurar na agenda
    [6.1] Está mesmo na tua frente...

Normalmente não se usa artigo quando o nome 'casa' aparece depois de uma preposição.

50 Lugar — no tempo

A
  horas
  partes do dia

Ex.: *[4.3]* *... na Estação às 11 em ponto.*
[6.3] *Preciso do relatório à tarde...*
[7.2] *... ao fim da tarde...*

NOTA
à tarde; à noite.
mas: *DE* manhã

DE

datas

Ex.: *[13.3]* *30 de Julho de 1988*

EM

Períodos de tempo

Ex.: *[7.2]* *... chegam na próxima segunda-feira*
[4.2] *o autocarro passa de 5 em 5 minutos...*

Outros usos das preposições: **A, DE, EM, PARA** e **POR**

51 A

1. Aspecto (prolongamento da acção)
    (V+a+Vinf.) começar, estar, ficar, continuar
    Ex.: *[2.4]Está a tirar um curso de Sociologia*

2. DATIVO
    Ex.: *[4.1]* *É melhor perguntar a outra pessoa*

3. MEIO, MODO, PROCESSO
    Ex.: *[6.2]* *Já passou à máquina...?*

4. DISTÂNCIA APROXIMADA
    Ex.: *[15.0]* *Fica a 40 km para Nordeste*

5. SUCESSÃO
    Ex.: *dia-a-dia*

6. Casos particulares:
    Ex.: *Ser igual a...*

52 DE

1. ORIGEM
    Ex.:[0.0] *Sou de Moçambique*

2. POSSE
    Ex.: *[9.5]* *O carro do Dr. Leitão...*

3. MATÉRIA
    Ex.: *copo de vidro*

4. CONTEÚDO
    Ex.: *Maço de cigarros*

5. FUNÇÃO
    Ex.: *[8.4]Máquina de lavar*

6. QUANTIDADE
    Ex.: *[11.1]* *meio quilo de tomates*

7. DURAÇÃO
   Ex.: [6.4] já passa das nove...

8. MODO
   Ex.: andar de carro

9. PARTE DE UM CONJUNTO
   Ex.: Alguns deles
   na gaveta do armário

10. Alguns verbos que se usam com a regência *DE*:
    gostar, esquecer-se, lembrar-se, precisar, etc.

53 EM

1. MODO
   Ex.: [11.2] Está tudo em ordem

2. verbos:
   Ex.: [17.3] Pensar em

54 PARA

1. FINALIDADE
   Ex.:[7.2] Não há ninguém para o ir esperar

2. COMPLEMENTO INDIRECTO (dativo)
   Ex.:[11.2] É uma caixa para cada um

55 POR

1. BREVE PASSAGEM POR UM LUGAR
   Ex.: [7.1] Passo por tua casa

2. *LOCALIZAÇÃO IMPRECISA*
   Ex.: [13.3] .. por aqui não podia estar melhor

3. AGENTE DA PASSIVA
   Ex.: [14.1] ... foi escrita por uma pessoa que...

4. MODO (=através de)
   Ex.: Entrar pela janela

5. Periodicidade
   Ex.: duas vezes por dia

6. Preço, valor
   Ex.: Ele comprou o carro por 1000 contos

8 CONJUNÇÕES

Relacionam as várias frases simples que podem estar contidas em uma frase complexa. Essa relação pode ser de dois tipos:

56 De Coordenação

Quando associam dois elementos dentro de uma, ou mais, frases simples independentes.

Ex.: [3.6] O serviço é bom, rápido e barato.
[3.6] É um prato pesado e eu tenho que trabalhar.
[6.3] Comecei mas não acabei...

Algumas conjunções e locuções coordenativas:
E, MAS, OU, NO ENTANTO, PORTANTO, QUER... QUER, LOGO, etc.

57 De Subordinação

Quando provocam uma dependência em relação a outra frase que contém o sentido principal.

Ex.: [6.2] *... tenho que fazer o que não fiz ontem...*
[8.4] *Quando eu tinha a tua idade vivia no campo...*

Algumas conjunções e locuções subordinativas:
PORQUE, EMBORA, QUANDO, SE, DE MODO QUE, TANTO QUE, COMO SE, DO QUE, MESMO QUE, A NÃO SER QUE, etc.

9 INTERJEIÇÕES

58 As interjeições

Exprimem um estado emotivo. Podem manifestar alegria, surpresa, irritação, indiferença, etc. Mas só a entoação ou o contexto ajudam a determinar o seu sentido.
Poderemos, no entanto, distinguir as que exprimem emoção das que fazem um apelo.

Emoção:

Ex.: [9.2] *Uff!... que susto*
[9.3] *Uff!... que bom... ar puro*
[9.3] *Deixa lá!*
[6.6] *Beh... nem bom nem mau...*
[6.2] *Eh pá, não sei...*
[6.2] *Ah! está aqui.*
[2.3] *Ui!... Há muitos anos*
Apelação:
[3.2] *Olhe, por favor*
[7.2] *Oh sr. Engenheiro...*

B - FRASE SIMPLES

59 Estrutura

Uma frase é normalmente formada pelo conjunto de dois elementos fundamentais:
O SUJEITO
Representa a pessoa ou o objecto que faz a acção (o elemento principal é o nome).
O PREDICADO
Exprime qualquer coisa em relação ao sujeito (o elemento principal é o verbo).

Ex.: [2.3] *Eu sou motorista.*

A frase comporta ainda complementos que se podem ligar apenas ao verbo ou a toda a frase.

Ex.: [2.3] *Eu sou motorista da* CARRIS, *aqui em Lisboa.*

A estrutura normal de uma frase simples, em Português, é a seguinte:

O	Eu serviço	sou é	motorista bom, rápido e barato
(art.)	(nome) SUJEITO	(verbo) PREDICADO	(nome) / (adjectivo)

60 Declarativa

Apresenta uma informação:
[1.2] *Vou para a Biblioteca*
[2.6] *É um rapaz alto, moreno...*

61 Exclamativa

Pode manifestar alegria, admiração, indignação...
[6.1] *Tu não estás boa da cabeça!*
[8.2] *Mas isto não estava assim!*
[9.3] *Estava a ver que não conseguia sair!*

62 Interrogativa

Pode pedir uma informação ou uma confirmação através de:

1. mudança de entoação:
   [2.2] *Está aí o número?*
   [2.1] *Esta é a rua da Torre, não é?*

2. inversão do sujeito e da forma verbal:
   [1.1] *Quem é ele?*

3. 'é que':
   [1.2] *Para onde é que tu vais?*

4. interrogativos no fim de frase:
   [7.3] *Apetecia-te ir aonde?*
   [3.5] *Então as senhoras pagam o quê?*

63 Enfática

Pode reforçar uma ideia que se exprime:

1. com 'é que':
   [9.1] *O senhor é que passou e não o viu.*

2. com advérbios 'cá', 'lá', 'só':
   [9.3] *Deixa lá...*
   [2.6] *Só não tem sirene...*

3. inversão do sujeito e da forma verbal:
   [17.3] *E ainda achas tu que és poupada!...*

64 Negativa

1. Negação simples:
   'não' + V
   [1.3] *Não tenho tempo...*
   [6.6] *Nunca lá fui...*
   'ninguém' + V:
   [9.5] *Ninguém me roubou o carro!*
   [11.1] *No fim, ninguém conseguiu comer...*

2. Negativa dupla:
   'não... nem':
   [6.2] *... o que não fiz ontem nem hoje...*
   [6.6] *... nem bom, nem mau...*

'não... nada':
[7.1] Não há nada para fazer...
[6.2] Não tenho que fazer nada

'não... ninguém'
[6.2] Não há ninguém para o ir esperar...

3. *'sem'*
   [7.3] ... elegante, sem barulho...
   [7.1] ... sem entusiasmo nenhum...

65 Passiva

É um processo de transformação de frase, em que não há alteração de sentido, e que só é possível realizar quando o verbo é transitivo, isto é, tem um complemento directo.
Os elementos da frase são trocados. Assim:

(Uma criança desenhou o quadro)

[14.3] O quadro foi desenhado por uma criança

sujeito ——————————— *complemento agente*
complemento directo ————— *sujeito*
predicado ——————————— *predicado composto (ser + part. pass.)*

NOTA:
A frase passiva é mais utilizada quando se verifica uma indeterminação do sujeito.
[19.3] Muitas casas foram demolidas...

C - FRASE COMPLEXA

A frase complexa compõe-se de duas ou mais partes (em que cada uma pode conter as características de uma frase simples) que se relacionam entre si.

Podem estar ligadas por:

1. Coordenação:

   Ex.: [5.0] A Lisa não sabe mas vai ouvir...
   [6.6] Combinamos e vamos lá os três...
   [18.1] ... ia a conduzir já há muito tempo.

2. Subordinação:

   [6.3] Ontem saí mais cedo porque fui ao médico.
   [6.4] Não posso imaginar o que é que aconteceu.
   [9.4] Hoje de manhã, quando saí de casa, o carro não estava lá...

66 Frase Coordenada

As frases COORDENADAS relacionam duas ou mais frases simples independentes:

Ex.: [4.2] O Francisco quer ir ao Museu da Cidade mas não sabe como...
[14.4] ... ou desato a rir como uma louca... ou a chorar como Maria Madalena...

67 Frase Subordinada

As frases *SUBORDINADAS* criam uma dependência em relação à frase simples principal.
Podem ser classificadas de maneiras diferentes consoante a sua significação:

— causais

Ex.: [9.1] *Deixa-me pagar porque tenho que trocar...*

— temporais

Ex.: [7.3] *Eu vi-a quando cheguei a casa.*
[17.3] *Sempre que isso me acontece...*
[18.1] *Até que acordou na manhã seguinte...*

— finais

Ex.: [19.1] *... gostaria de lhe pedir uma oportunidade para que ele pudesse contactar com o mundo do trabalho...*

— comparativas

Ex.: [8.3] *... tinha mais roupa do que agora*
[19.3] *... continuou como se não tivesse ouvido*

— concessivas

Ex.: [17.3] *... embora tenhas tempo o que é que fazes?*
[17.2] *Mesmo que seja caro eu não me importo*

— condicionais

Ex.: [18.1] *Se adormecesse deixava de ver a estrada*
[17.2] *Se por acaso houver está lá em cima...*

— consecutivas

Ex.: [18.3] *Devo ter feito uma cara de tal modo espantada que o Sr. Martins...*
[14.2] *Eu estava de tal maneira entusiasmado que nem me apercebi...*

— integrantes

Ex.: [17.2] *Sei que a capa é vermelha...*
[3.5] *Podia-me dizer se é um lugar calmo?*

68 Comparação

Os graus do nome, do adjectivo e do verbo:

1.   mais   +   N   +   do que
        menos   +   adj.
                         Verbo + mais do que
                                   menos do que

[8.3] *Antigamente tinha mais roupa do que agora*
[6.2] *....chega mais cedo do que os outros...*

2.   O/A   +   mais   +   Adj. (de)
        OS/AS   menos

[15.0] *A Ilha do Corvo é a mais pequenina de todas*

Nota:
Adjectivos com formas irregulares:

BOM......... MELHOR (do que)
MAU.................... PIOR
GRANDE.............. MAIOR

3.   Tão   +   Adj.   +   como
               Tanto / -a   +   Nome
               Tantos / -as   +

                                           Verbo   +   tanto como

[12.3] *... já não são tão fáceis como eram...*

4.   Muito   Adj.
               Muito, -os   +   Nome
               Muita, -as

                            Verbo   +   muito

[2.4] *Eu gosto muito de conduzir autocarros...*

Nota:
Adjectivos com formas irregulares:

        BOM .... ÓPTIMO
        MAU .... PÉSSIMO
        GRANDE .... ENORME

69   Discurso Directo / Discurso Indirecto

O discurso directo reproduz literalmente as palavras pronunciadas pelo falante.

[14.2] *— Eu imaginei que estava a ser transportado ao céu — disse ele.*
E continuou: — Eu estava de tal maneira entusiasmado que nem me apercebi que o concerto já tinha acabado...

O discurso indirecto selecciona a informação e apresenta-a construída em outra estrutura linguística, sempre na 3.ª pessoa.

[7.2] *O sr. Dr. Correia disse que ia ele.*
(O sr. Dr. Correia disse: — eu vou.)
[14.2] *Ele disse que nunca tinha ouvido nada tão bonito...*

Depósito legal n.º 75811/95